光緒庚寅秋
九月杭州許
氏榆園校刊

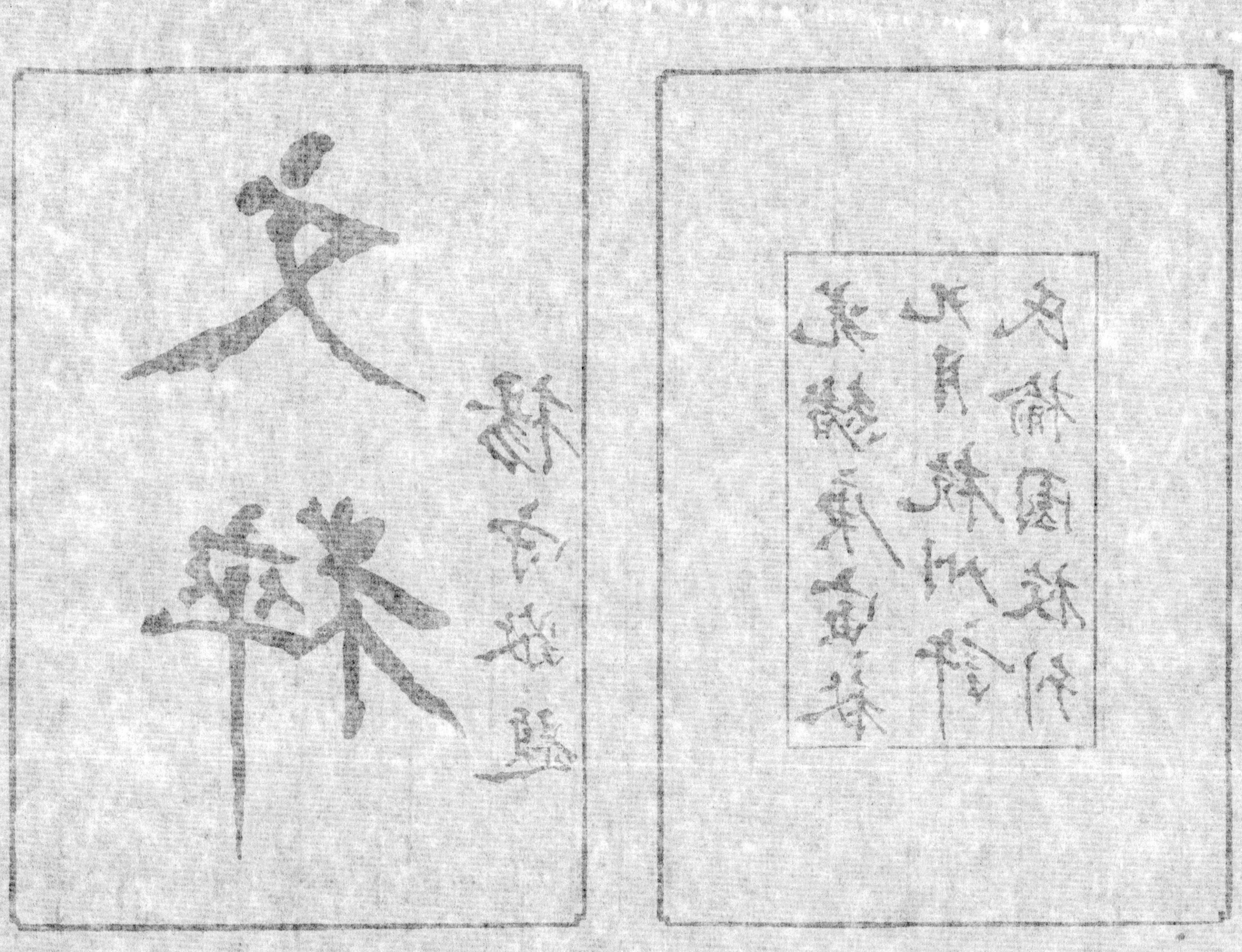

吳興 姚鉉 纂

碑十五 總七首碑陰記銘坿

釋

舒州山谷寺覺寂塔隋故三祖鏡智禪師碑銘 并序

獨孤及

案前志禪師號僧璨不知何許人出見於周隋閒傳教於惠可大

師摳衣鄴中得道於司空山謂身相非眞故示有瘡疾謂法無我所故居不擇地以衆生病爲病故所至必說法度人以一相不在內外不在中閒故立言不以文字其教大略以寂照妙用攝羣品流注生滅觀四維上下不見法不見身不見心乃至心離名字身等空界法同夢幻無得無證然後謂之解脫禪師率是道也上膺付囑下拯昏疑大雲垂廕國土皆化謂南方教所未至我是以有羅浮之行其來不來也其去無去也既而以袈裟與法俱付悟者道存形謝遺骨此山今二百歲矣皇帝卽位後五年歲次庚戌某剖符是州登禪師遺居周覽陳蹟明徵故事其茶毗起塔之制實天寶景戌中別駕前河南少尹趙郡李公常經始之碑版之文隋內史侍郎河東薛公道衡唐相國刑部尚書贈太尉河南房公琯繼論譔之而尊道之典易名之禮則朝廷方以多故而未遑也長老比丘釋湛然誦經於靈塔之下與澗松俱老痛先師名氏未經邦國焉與禪衆寺大律師釋澄俊同寅叶恭亟以爲請會是歲嵩

岳大比丘釋惠融至自廣陵勝業寺大比丘釋開悟至自廬江俱纂我禪師後七葉之遺訓日相與歎塔之不命號之不崇懼象法之本根墜于地也願申無邊衆生之弘誓以抒罔極揚州牧御史大夫張公延賞以狀聞於是七年夏四月上霈然降興廢繼絶之詔冊謚禪師曰鏡智塔曰覺寂以大德僧七人灑埽供養天書錫命暉煥崖谷衆庶踴躍謂大乘中興是日大比丘衆議立石于塔東南隅紀心法興廢之所以然某以謂初中國之有佛教自漢孝明始也歷魏晉宋齊及梁武言第一義諦者不過布施持戒天下惑於報應而人未知禪世與道交相喪至菩提達摩大師始示人以諸佛心要人疑而未思惠可大師傳而持之人思而未修道禪師三葉其風寖廣眞如法味日漸月漬萬木之根莖枝葉悉沐化雨然後空王之密藏二祖之微言始行於世閒浹於人心當時闡道於禪師者其淺者知有爲法無非妄想深者見佛性於言下如燈之照物朝爲凡夫夕爲聖賢雙峯大師道信其人也其後信公以教傳弘忍忍公傳惠能神秀能公退而老曹谿其嗣無傳焉秀公傳普寂寂公之門徒萬人升堂者六十有三得自在惠者一曰弘正正公之廓廡龍象又倍焉或化嵩洛或之荆吳自是心教之被於世也與六籍侔盛嗚呼微禪師吾其二乘矣後代何述焉庸詎知禪師之下生不爲諸佛故現比丘身以救濁劫乎亦猶堯舜既往周公制禮仲尼述之游夏弘之使高堂后蒼徐孟戴慶之徒可得而祖焉天以聖賢所振爲木鐸其揆一也諸公以爲司馬子長立夫子世家謝臨川撰惠遠法師碑銘今將令千載之後知先師之全身禪門之權輿王命之追崇在此山也則揚其風紀其時宜在法流某嘗味禪師之道也久故不讓其銘曰

人之靜性於生偕植知誘於外染爲妄識如浪斯鼓與風動息淫駭貪怒爲刃爲賊生死有涯緣起無極如來憫之爲闢度門卽妄了眞以證覺源啓迪心印貽我後昆閒生禪師俾以教尊二十八世迭付微言自摩訶迦葉以佛所付心法遞相傳至師子比丘凡二十五世自達摩大師至禪師又三世共二十八世

也如如禪師膺期弘宣世濶法滅獨與道全周武下令滅佛法禪師隨可大師隱遁司空山十有三年童蒙來求我以意傳攝相歸性法身乃圓性身本空我爲說焉如如禪師道既棄世將二十紀朝經乃居皇明昭賁億兆膜拜凡今後學入佛境界於取非取誰縛誰解初禪師謂信公曰汝何求曰求解脫曰誰縛汝誰解汝曰不見縛者不見解者然則何求信公於是言下證解脫知見遂頂禮請益是日禪師授以祖師所傳袈裟也萬有千歲此法無壞

三祖大師碑陰記　張彥遠

大厤初彥遠曾祖魏國公留守東都兼河南尹洛陽當孽火之後寺塔皆爲丘墟迎致嵩山沙門澄沼修建大聖善寺沼行爲禪宗德爲帝師化滅詔謚大證即東山第十祖也洎鎮於蜀皆有崇飾在淮南奏三祖大師謚號與塔額刺史獨孤君爲之碑張從申書字夫稟儒道以理身理人奉釋氏以修心修性其揆一也會昌天子滅佛法塔與碑皆毀像雖毀而法不能滅是法也不在乎塔不在乎碑大中初塔復置而碑未立咸通二年八月遂與沙門重議刋建舒州刺史河東張彥遠書于碑之陰

六祖能禪師碑銘并序　王維

無有可捨是達有源無空可住是知空本離寂非動乘化用常在百法而無得周萬物而不殆鼓枻海師不知菩提之行散花天女能變聲聞之身則知法本不生因心起見見無可取法則常如世之至人有證於此得無漏不盡漏度有爲非無爲者其惟我曹溪禪師乎禪師俗姓盧氏某郡某縣人也名是虛假不生族姓之家法無中邊不居華夏之地善習表於兒戲利根發於童心不私其身臭味於耕桑之侶苟適其道羶行於蠻貊之鄉年若干事黃梅忍大師願竭其力即安於井臼素刳其心獲悟於稊稗每大師登座學衆盈庭中有三乘之根共聽一音之法禪師默然受教曾不起予退省其私迴超無我其有猶懷渴鹿之想尚求飛鳥之蹟香飯未消弊衣仍覆皆曰升堂入室測海窺天謂得黃帝之珠堪授法王之印大師心知獨得謙而不鳴天何言哉聖與仁豈敢子曰

賜也吾與汝不如臨終遂密授以祖師袈裟謂之曰物忌獨賢人惡出己予且死矣汝其行乎禪師遂懷寶迷邦銷聲異域衆生爲淨土雜居止於編人世事是度門混農商於勞侶如此積十六載南海有印宗法師講涅槃經禪師聽於座下因問大義質以眞乘旣不能酬翻從請益乃歎曰化身菩薩在此色身肉眼凡夫願開惠眼遂領徒屬盡詣禪居奉爲挂衣親自削髮於是大興法雨普灑客塵乃教人以忍曰忍者無生方得無我始於成初發心以爲教首至於定無所入惠無所依大身過於十方本覺超於三世根塵不滅非色滅空行願無成卽凡成聖舉足下足長在道場是心是情同歸性海商人告倦自息化城窮子無疑直開寶藏其有不植德本難入頓門妄繫空花之狂曾非惠日之咎常歎曰七寶布施等恆河沙億劫修行盡大地墨不如無爲之運無礙之慈弘濟四生大庇三有旣而道德徧覆名聲普聞泉館卉服之人去聖歷劫塗身穿耳之國航海窮年皆願拭目於龍象之姿忘身於鯨鯢

之口騈立於戶外趺坐於牀前林是旃檀更無雜樹華惟薝蔔不嗅餘香皆以實歸多離妄執九重延想萬里馳誠思布髮以奉迎願叉手而作禮則天太后孝和皇帝竝敕書勸諭徵赴京城禪師子牟之心敢忘鳳闕遠公之足不過虎溪固以此辭竟不奉詔遂送百衲袈裟及錢帛等供養天王厚禮獻玉衣於幻人女后宿因施金錢於化佛尙德貴物異代同符至某載月日忽謂門人曰吾將行矣俄而異香滿室白虹屬地飯食訖而敷坐沐浴畢而更衣彈指不留水流鐙燄金身永謝薪盡火滅山崩川竭鳥哭猨啼諸人唱言人無眼目列郡慟哭世且空虛某月日遷神於曹溪安坐於某所擇吉祥之地不待靑烏變功德之林皆成白鶴嗚呼大師至性淳一天姿貞素百福成相衆妙會心經行宴息皆在正受談笑語言曾無戲論故能五天重蹟百越稽首修蛇雄虺毒螫之氣銷跳殳彎弓猜悍之風變畋漁悉罷蠱酖知非多絕羶腥效桑門之食悉棄罟網襲稻田之衣永惟浮圖之法實助皇王之化弟子

曰神會遇師於晚景聞道於中年廣量出於凡心利智踰於宿學雖末後供樂最上乘先師所明有類獻珠之顧世人未識猶多抱玉之悲謂余知道以頌見託偈曰

五蘊本空六塵非有衆生倒計不知正受蓮花承足楊枝生肘苟離身心孰爲休咎至人達觀與佛齊功無心捨有何處依空不著三界徒勞八風以茲利智遂與宗通愍彼偏方不聞正法俯同惡類將興善業教忍斷嗔修慈捨獵世界一華祖宗六葉大開寶藏明示衣珠本源常在妄轍遂殊過動不動離俱不俱吾道如是道豈在吾道徧四生常依六趣有漏聖智無義章句六十二種一百八喻悉無所得應如是住

大唐曹溪第六祖大鑒禪師第二碑銘 并序

劉禹錫

元和十一年某月日詔書追襃曹溪第六祖能公謚曰大鑒實廣州牧馬總以疏聞繇是可其奏尚道以尊名同歸善善不隔異教

一字之襃華袞孔懷得其所故也馬公敬其事且謹始以垂後遂咨于文雄今柳州刺史河東柳君爲前碑後三年有僧道琳率其徒由曹溪來且曰願立第二碑學者志也惟如來滅後中五百歲而摩騰竺法蘭以經來華人始聞其言猶夫重昏之見晉爽後五百歲而達摩以法來華人始傳其心猶夫昧旦之覩白日自達摩六傳至大鑒如貫意珠有先後而無同異世之言眞宗者所謂頓門初達摩與佛衣俱來得道傳付以爲眞印至大鑒置而不傳豈以是爲筌蹏耶芻狗耶將人之莫己若而不若置之耶吾不得而知也案大鑒生新州三十出家四十七年而歿既歿百有六年而謚始自蘄之東山從第五師得授記以歸高宗使中貴人再徵不奉詔第以言爲貢上敬行之銘曰

至人之生無有種類同人者形出人者智蠢蠢南裔降生傑異父乾母坤獨肖元氣一言頓悟不踐初地五師相承授以寶器宴坐曹溪世號南宗學徒爰來如水之東飲以妙藥差其瘖聾詔不能

致許爲法雄去佛日遠羣言積億著空執有各走其域我立眞筌揭起南國無修而修無得而得能使學者還其天識如黑而迷仰見斗極得之自然竟不可傳口傳手付則礙于有留衣空堂得者天授

佛衣銘 并序

吾既爲僧琳撰曹溪第二碑且思所以辯六祖置衣不傳之旨作佛衣銘曰

佛言不行佛衣乃爭忽近貴遠古今常情尼父之生土無一里夢奠之後履存千祀惟昔有梁如象之狂達摩救世來爲醫王以言不痊因物乃遷如執符節行乎復關民不知官望車而畏俗不知佛得衣爲貴壞色之衣道不在茲由之信道所以爲寶六祖未彰其出也微既還狼荒憬俗蚩蚩不有信器衆生曷歸是開便門非止傳衣初必有終傳豈無已物必歸盡衣胡久恃先終知終用乃不窮我道無朽衣於何有其用已陳孰非芻狗

潭州大溈山同慶寺大圓禪師碑銘 并序

鄭愚

天下之言道術者多矣各用所宗爲是而五常教化人事不外於性命精神之際史氏以爲道家之言故老莊之類是也其書具存然至於盪情累外生死出於有無之間晏然獨得言象不可以擬議勝妙不可以意況則浮屠氏之言禪者庶幾乎盡也有口無所用其辯巧厤無所用其數愈得者愈失愈是者愈非我則我矣不知我者誰氏知則知矣不知知者何以無其無不能盡空其空不能了是者無所不是得者無所不得山林不必寂城市不必諠無春夏秋冬四時之行無得失是非去來之蹟非盡無也冥於順也遇所卽而安故不介於時當其處無必故不跼於物其大旨如此其徒雖千百得者無一二近代言之者必有宗宗必有師師必有傳然非聰明瑰宏傑達之器不能得其傳當其傳皆是時之鴻厖偉絕之度也今長沙郡西北有山名大溈蟠林穹谷不知其廣幾

千百里爲羆豹虎兕之封虺蜮蚺蟒之宅雖夷人射獵虞迹樵吡不敢由從也師始僧號靈祐福州人笠首屩足背閩來游庵於翳薈非食時不出栖栖風雨默坐而已恬然晝夕物不能害非夫外生死忘憂患冥順天和者孰能與於是哉昔孔門殆庶之士以簞瓢樂陋巷夫子由稱詠之不足言人不堪其憂以其有生之厚也且生死於人得喪之大者也既無得於生必無得於死既無得於得必無得於失故於其間得失是非所不容措委化而已其爲道術天下之能事畢矣皆涉語是非之端辨之益惑無補於學者今不論也師既以茲爲事其徒稍稍知其從之則與之結構廬室與之伐去陰黑以至於千有餘人自爲飲食綱紀而於師言無所是非其有問者隨語而答不强所不能也數十年言佛者天下以爲稱首武宗毀寺逐僧遂空其所師遽裹首爲民惟恐出蚩蚩之輩有識者益貴重之矣後湖南觀察使故相國裴公休酷好佛事値宣宗釋武宗之禁固請迎而出之乘之以己輿親爲其徒列又議重削其須髮師始不欲戲其徒曰爾以須髮爲佛耶其徒愈强之不得已又笑而從之復到其所居爲同慶寺而歸之諸徒復來其事如初師皆幻視無所爲意忽一二日笑報其徒示若有疾以大中七年正月九日終於同慶精廬年八十三僧臘五十五即窆於大潙之南阜其徒言將終之日水泉旱竭禽鳥號鳴草樹皆白雖有其事語且不經又非師所得之意故不書師始聞法於江西百丈懷海禪師謚曰大智其傳付宗系僧牒甚明此不復出師亡後十一年徒有以師之道上聞始詔加謚號及墳塔以盛其死豈達者所爲耶噫人生萬類之最靈者而以精神爲本自童孺至老白首始於飲食漸於功名利養是非嫉妒得失憂喜晝夜纏縛又其念慮未嘗時餉歇息煎熬形器起如冤讎行坐則思想偃卧則魂夢以耽沈之利欲役老朽之筋骸餐飯既耗齒髮已弊猶拔白餌藥以從其事外以夸人內以欺已曾不知息陰休影捐慮安神自求須臾之暇以至溘然而盡親交不啻行路利養悉歸他人愧

負積於神明辱殆流於後嗣淫渝汗漫不能自止斯皆自心而發
不可不制以道術道術之妙莫有及此佛經之說益以神性然其
歸趣悉臻無有僧事千百不可梗槩各言宗教自號矛盾故褐衣
髠首未必皆是若予者少抱幽憂之疾長多羇旅之役形凋氣乏
嘗不逮人行年五十已極遲暮既無妻子之戀思近田閭之樂非
敢强也恨不能也況洗心於是踰三十載適師之徒有審虔者以
師之圖形自大溈來知予學佛求爲贊說觀其圖狀果前所謂鴻
厖偉絶之度者也則報之曰師之形實無可贊心或可言心又無
體自忘吾說審虔不信益欲贊之云云既與其贊則又曰吾徒居
大溈者尙多感師之開悟者不一相與伐石欲碑師之道於精廬
之前欲其文辭近吾師之側謂予又不得不爲也予笑不應後十
來予門益堅其說且思文字之空與碑之妄空妄既等則又何虞
咸通六年歲在乙酉草創其事會予有疾明年二月始訖其銘又
因其說以自警觸故其立意不專以褒大溈之事云爾銘曰

湖之南湘之西山大溈深無蹊虎已嘯猨又啼雨槭槭風淒淒高
入雲不可梯雖欲去誰與攜彼上人忘其身一宴坐千餘旬去無
疏來無親夷積阻構嶙峋棟宇成供養陳我不知徒自勤物之生
孰無情識好惡知寵驚眞物藏百慮呈隨婉轉任崢嶸雲糊天月
不明金在鑛火收熒我不知天地先無首尾功用全六度備萬行
圓常自隨在畔邊要卽用長目前非艱難不幽玄哀世徒苦馳驅
覺作佛何其愚算海沙登迷廬眼喘喘心區區見得失繫榮枯弃
知覺求形模近似遠易復難但無事心卽安少思慮簡悲歡淨蕩
蕩圓團團更無物不勞看聽他語被人謾生必死理之常榮必悴
非改張造衆罪欺心王作少福須天堂善惡報正身當自結裹無
人將心作惡口說空欺木石嚇盲聾牛阿旁鬼五通專覷捕見西
東禁定住陽朦朧與作爲事不同最上乘有想基無結淨本無爲
人不見自心知動便是莫狐疑直下說沒文詞識此意見吾師

大唐蘄州龍興寺故法現大禪師碑銘 并序

李適之

古之聖人乘時迭用賛神道立人倫所以爲理者也理之爲極故受之以無爲昔之眞人歸根去羨探有物入無窮所以爲久者也久幾乎息故受之以實際於是大雄有作大覺無邊常樂常住不生不滅鑒阿僧而示開闢傳法印而逾繩契映明月而小玄珠位輪王而卑五帝去聖日遠多門互出名數棼絲言說滋蔓粤有紹興法寶超詣眞宗由密意而到淸涼域秉圓照而入空寂舍無聞無示非穿非鑿斷諸委曲直見本源其事業有如此者我大師其人也禪師諱法現弋陽人本名法顯避中宗廟諱於是改焉卽雙峯忍禪師門人也俗姓宣氏出自周宣王盛於元魏代禪師儀表端嚴眉宇森秀人相具足梵音淸暢乘運而應數隨方而立表以濟南淨之人以嗣東山之業初母在孕不喜葷辛及誕之後每以沙上戲爲佛塔志學之歲遠方訪道年十有九爰就薙落始配住福田寺其後以選更隸龍興寺焉後因捧盂上堂逢一神僧顔赤

如醉語師曰汝可名法顯因忽不見年滿受具遂以此名年二十五次因寺事差往鄱陽所憩之家皆同舊識或云宿昔夢師之來儀服宛如所見設供養者皆蒙誘掖闔門盡里同發菩提心爾時鄱陽大旱師爲授戒二千餘人事畢天晶無雲其夜雨雪盈尺隨緣利物殊類齊感在舟則異鱗呈質使漁者收綸登陸則困鹿求哀而獵者束矢所過古寺廢塔雖獨而止猛獸惡龍山精木魅毒氣生煙火衆魔成軍陣坦若虛舟莫能惱害至永淳歲有三婆羅門寄金銀珠寶於師復置牀簀而歸西域其後有賊劫房惟此諸寶獨在出入三載主乃東來各以還之封緘如故母氏遺師預修己墓寺前南嶺地爲吉祥掘皆巨石不可開動已經數日師意彌專忽有一人來詣掘所作禮旣畢出一編書與師遂云爲師穿墓觀其用壯迨非人功信宿掘成不知所在開其留書乃菩提達摩之論也及築墳傳土每夕有猛獸蹋跡如杵倏然墓成經一十八年母何氏壽八十有六旣耆而艾無疾而終師廬於墳所遂經二

載形體臞瘠僅能識者每有人潛獻牛乳其味凝厚衆疑有異後加驗問莫知所從嘗置椀佛前乃成舍利旬日之後椀中有聲沃而滌之金光浮出連珠成貫色有似榴者其後漸多至百餘粒他州造塔者皆來請之分與而去夫其異應不可思議乃菩提之示現者矣大易云神道設教然則至人無迹至化無名萬緣盡空一切不動此皆善靈扶護示相云爲因感而來無幽不兆咸莫知其所以豈我師之意乎徒觀遠衆響臻羣疑景附惟分請益波迴山風之過衆竅似膏雨而成百穀至有求明義學談說人天三論飲積有迷有達或饑或渴禪師發以希聲之音現以隨緣之相如振其辯才九部矜其理窟及乎對詢眞顧不覺神醉大巫捨械靡旗廢講焚疏因而退密專至攝心有初地弟子左相兼兵部尚書李適之往以先君佐勤瞻言歸省因得禮尊儀於密座委弱質於專門持心苦體不捨晝夜尋溝私艱重集于蓼無怙何恃創鉅釁窮負土墳傍泣血廬次大師哀其劬頓假以梯航引於煨燼之區拔於寃毒之海其後皇圖復禹重構維城神龍之中璽書再降授朝請大夫旋追赴京輦禪師遂歎宰官之義强弟子以行雖閒闊積年而誨誘無遺屬有東信至自蘄春方承八年諱問具說最後功德恨不親聞付囑是用觸緒悲涼復次使者言師以開元八年六月初於本寺精舍結跏趺坐積十三日不更飲食無復煩惱因禪不解便入無餘春秋七十有八是日雲物變異香氣晦合池水自黑林鳥皆悲座前白蓮枯卷堂後列柏凋瘁四部雷動三界霑泣或絕于地或訴于天嗚呼慈父忍棄窮子一定已來全軀不壞髮長膚軟紅爪丹脣經今二十年竟不敢遷閉近日薄加香漆四衆供養如生故知不盡之明與劫代而相弊應見之相豈堅林之可焚徒徵夢幻之言莫見去來之迹然則建之於常空有立之於不皦昧難可以智知孰能以識識住持强固永爲宗極以適之心存遺偈力荷慈緣髣髴鑽鑠依俙火傳摛其勿照之曜著以忘言之筌敢申頌立德以昭播人天其詞曰

皇矣能仁弘宣妙覺彼上人者是爲禪族繼體前聖傳燈後學舟梁愛河掎拔情獄肇允光相翻飛度門偈傳心極神授名尊霰霄嚴戒盜入重昏窮魚脫泉困獸還魂獨絕人代蒸在林野魔厲不神善緣來假乳似麤獻編同圯下度無量人實無度者諸行圓滿庶類知歸往虛來實遇病爲醫大雲澍雨惠日揚輝事復無事機反於機我於往昔天方薦瘥彷徉推極荼壽謂何孰承最上密受居多未究深海旋驚尺波變異潛感悲憂斷絕皆發大怖徧身見血深入靜思義開形閉當知恆住敢告非滅

文粹卷第六十三

文粹卷第六十四

吳興　姚鉉　纂

碑十六　總九首

釋

荊州玉泉寺大通禪師碑銘　并序

張說

譔夫總四大者成乎身矣立萬始者主乎心矣身是虛哉即身見空始同妙用心非實也觀心若幻乃等真如名數入焉妙本乖言說出焉眞宗隱故如來有意傳要道力持至德萬劫而遙付法印一念而頓授佛身誰其弘之寶大通禪師其人也禪師尊稱大通諱神秀本姓李陳留尉氏人也心洞九漏懸解先覺身長八尺秀眉大耳應王伯之象合聖賢之度少爲諸生遊問江表老莊玄旨書易大義三乘經論四分律儀說通訓詁音參吳晉爛乎如襲孔翠玲然如振金玉既而獨鑒潛發多聞旁施逮知天命之年自拔人間之世企聞蘄州有忍禪師禪門之法胤也自菩提達摩天竺東來以法傳惠可惠可傳僧璨僧璨傳道信道信傳弘忍繼明重跡相承五光乃不遠遐阻翻飛謁詣虛受與沃心並會高悟與眞乘同澈盡捐妄識湛見本心住寂滅境行無是處有師而成即燃燈佛所無依而說是空王法門服勤六年不捨晝夜大師歎曰東山之法盡在秀矣命之洗足引之竝坐於是涕辭而去退藏於密

儀鳳中始隷玉泉名在僧錄寺東七里地坦山雄目之曰此正楞伽孤峰度門蘭若蔭松藉草吾將老焉雲從龍風從虎大道出賢人覩岐陽之地就者成都華陰之山學來如市未云多也後進得以拂三有超四禪升堂七十味道三千不是過也爾其開法大略則專念以息想極力以攝心其入也品均凡聖其到也行無前後趣定之前萬緣盡閉發慧之後一切皆如特奉楞伽遞爲心要過此以往未之或知久視年中禪師春秋高矣詔請而來趺坐觀君肩輿上殿屈萬乘而稽首灑九重而宴居傳聖道者不北面有盛德者無臣禮遂推爲兩京法主三帝國師仰佛日之再中慶優曇之一現混處都邑婉其祕旨每帝王分座后妃臨席鵷鷺四匝龍象三繞時熾炭待礦故對默而心降時診飢投味故告約而義領一雨溥霑於衆緣萬籟各吹於本分非夫安住無畏應變無方者孰能至爾乎聖敬日崇朝恩代積當陽和會之所置寺曰度門尉氏先人之宅置寺曰報恩賦閭名鄉表德非擬肩厭誼輩長懷虛

壑累乞還山既聽中駐久矣衰憊無他患苦魄散神全形遺力謝神龍二年二月二十八日夜中顧命趺坐泊如化滅禪師武德八年乙酉受具於天宮至是年丙午復終於此寺葢僧臘八十矣生於隋末百有餘歲未嘗自言故人莫審其數也三界火心四部冰背懷崩梁壞奮動雨泣凡諸寶身生是金口故其喪也如執親焉詔使弔哀侯王歸賵三月二日冊謚大通展飾終之義禮也時厥五日假安闕塞綏及葬之期懷也宸駕臨訣至午橋王公悲送至伊水羽儀陳設至山龕仲秋既望還詔乃下帝諸先許冥遂宿心太常卿鼓吹導引城門郎監護喪葬是日天子出龍門泫金襭登高停蹕目送過輿自伊及江扶道哀候幡花百輩香雲千里維十月哉生魄明即舊居後岡安神起塔國錢嚴飾賜逾百萬巨鐘是先帝所鑄羣經是後皇所錫金牓御題華幡內造塔寺尊重遠稱標絕初禪師形解東洛相見南荆白霧積晦於禪山素蓮寄生於坐樹則雙林變色泗水逆流至人違代同符異感百日卒哭也在

龍華寺設大會八千人度二千八二祥練縞也咸就西明道場數如前會萬迴菩薩乞施後宮寶衣盈箱珍價敵國親與寵貴侑供巡香其廣福博因存沒如此日月逾邁榮落相推於戲法子永戀宗極痛慈舟之遽失恨涌塔之遲開石城之歎也不孤廬山之碑焉可作獨比夫子貢之論夫子也生於天地不知天地之高厚飲於江海不知江海之廣深強名無跡以慰其心銘曰

窮身內隱因指見效心鏡外塵匪磨莫照海藏安靜風識牽樂不入度門號探法要何哉禪伯獨立天下功收密詣解卻名假詣無所得解亦都捨月影空如現於悟者無量善衆爲父爲師露清熱惱光射昏疑冀將住世萬壽無期奈何過隙一朝去之嗟我門人憂心斷續進憶瞻仰退思付屬盡不離定空非滅覺念茲在茲敢告無學

潤州鶴林寺故徑山大師碑銘并序　李華

道行無跡妙極無象謂體性空而本源清淨謂諸見滅而覺照圓明我天人師示弟一義師無可說之法義爲不二之門其定也風輪駐機其惠也日宮開照其用也春泉利物三者備體誰後誰先入無量而不動開法華而踊出湛兮以有無觀聽而莫測寥兮以遠近思惟而不窮智得皆空爲眞實際大悲恒寂徧撫羣迷月入百川之中佛市千花之上修而證者玄同妙有應而起者旁作化身先大師適來此土化身歟適去他方補處歟不可得而知也自如來現滅四魔橫恣人天無怙寄命崩崖勝大敵者那羅延身消大毒者伽陀妙藥救陷扶墜而生大師大師延陵馬氏諱玄素字道清崇高紹興於法外胄緒不繫於人間慈母方娠厭患葷肉長至之日誕彌仁尊生有異祥乳育安靜既齓稽首父母求歸法門卽日獲請出依精舍如意年中薙度隸江寧長壽既進具已戒光還照定水澄源鵝王之不受泥塵香象之頓除羈鎖未之比也身長七尺體無凡骨眉豪際臉口若方丹目不顧睇聲侔扣玉入南牛頭山事威大師撞鍾大鳴入海同味迦葉以頭陀第一大師

亦斗藪塵勞聞一知十未嘗請益觀法無本觀心不生喻金剛之最堅比師子之無畏圓月照海高深盡明惠風吹雲宇宙皆淨威大師摩頂謂曰東南正法待汝興行命於別位開導來學於是騶虞馴擾表仁之至也眾禽獸果明化之均也接足右繞百千人俱大師悉以菩薩呼之教習大乘戒妄調伏自性還源無漸而可隨無頓而可入摩尼照物一切如之吾常默然無法可說或有信願雙極懇求心要於我渴仰施汝醍醐問禪定耶吾無修問智慧耶吾無得道惟心證不在言通懷帝釋輪終爲世論自淨而已無求色聲既悟者小無微塵大無三界當悟者內珠雖隱猶作來因藥草萬殊根莖等潤貌和言寡飢至飽歸或有聞尊稱而遷善現色身而獨得我無爾念道溥慈圓食不問鹹酸口不言寒暑身同池水飽蚊蚋之飢渴道離人我順眾生之往來貴賤寃親是法平等故饋甘味而不辭同於粮精奉上服而不拒齊於弊褐俾夫家有道侶府無爭人開元中本寺僧法密請至京口潤州刺史韋銑灑埽鶴林茲焉供養有屠者忞忍積骸如山聞大師尊名來仰眞範忽自感悟懺悔求哀大師受之又白言和尚大悲當應我供大師衲衣跏趺未嘗出戶公侯稽首不爲動搖至是如其懇乞忻然降詣夫盜隱其罪虎慈其子仁與不仁皆同佛性不生不滅無去無來今濁流一澄清水立現諸佛所度我亦度之天寶中揚州僧希玄密請至廣陵便風馳帆白光引棹楚人相慶佛日渡江梁宋齊魯傾都來會津塞塗盈人無立位解衣投施積若邱陵皆委於所在行無住捨禮部尚書李憕時爲揚州牧齋心跪謁爲眾唱首望慈月者誰不清涼傳百億明燈照四維上下塵沙之數皆趣佛乘二州以貪法之心移牒逾月均吾喜捨成汝堅牢無非道場還至本處天寶十一載十一月十一日中夜坐滅嗚呼菩提位中六十一夏父母之生八十五年赴哀位者可思量否至有浮江而奠望寺而哭十里花雨四天香雲幡幢蓋網光蔽日月以其月二十一日四眾等號捧全身建塔于黃鶴山西原像法也州伯邑宰執喪

師之禮率眾申哀江湖震悼襄於寺內移居高松互偃涅槃之夕椅桐雙枯虎狼哀號聲破山谷人祇憯慟天地晦冥及發引登原風雨如埽慈烏覆野靈鶴徊翔有情無情德至皆感初達摩祖師傳法三世至信大師信門人達者融大師居牛頭山得自然智慧大師就而證之且曰七佛教戒諸三昧門語有差別義無差別羣生根器各各不同惟最上乘攝而歸一涼風既至百實皆成汝能總持吾亦隨喜由是無上覺路分爲此宗融大師講法則金蓮冬敷頓錫而靈泉湧溢東夷西域得神足者赴會聽焉融授巖大師巖授方大師方授持大師持授威大師凡七世矣眞乘妙緣靈祥嘉應僉具傳錄布於人世門人法鏡吳中上首是也門人法欽徑山長老是也觀音普門文殊佛性惟二菩薩重光道源門人法勵法海親奉微言感延霜露繕崇龕座開構軒楹時惟海公求報師訓廬孔氏之墓起淨明之塔世異人同泫然長慕僧慧端等蔭旃檀樹皆得身香菩薩戒弟子故吏部侍郎齊澣故刑部尚書張均故江東採訪使潤州刺史劉日正故廣州都督梁昇卿故採訪使潤州刺史徐嶠故採訪使常州刺史劉同昇故潤州刺史韋昭理（一作禮）故給事中韓延賞故御史中丞李丹故涇陽令萬齊融禮部員外郎崔令欽道流人望莫盛於此弟子嘗聞道於徑山猶樂正子春之於夫子也洗心瞻仰天漢彌高鏡公門人悟甚深者大理評事楊諳過去聖賢諸功德藏志之所至無不聞知魯史從告況乎傳信其文曰

濁金清鏡在爾銷鍊磨之瑩之功至乃見膏漬炷然光明外徧陽升律應草木皆變啟迪瘖聾惟吾大師息言成教捨法興悲辰極不動風波自移境由心寂道與人隨杳然玄默湛入無餘性本無垢云何淨除身心宴寂大拯淪胥內光無盡萬境同如甘露正味瑠璃妙器徧施大千無同無異度未度者化周緣備道樹忽枯涅槃時至我無生滅隨世因緣吉祥殿上應化諸天寂寂靈塔滔滔逝川恆沙劫壞智月常圓

牛頭山第一祖融大師新塔記　劉禹錫

初摩訶迦葉受佛心印得其人而傳之至師子比邱凡二十五葉而達摩得焉東來中華華人奉之爲第一祖又三傳至雙峰信公雙峰廣其道而岐之一爲東山宗能秀寂其後也一爲牛頭宗嚴持威鶴林徑山其後也分慈氏之一支爲如來之別子咸有祖稱粲然貫珠大師號法融姓韋氏延陵人少爲儒博極羣書既而歎曰此仁誼言耳吾志求出世間法遂入句曲依僧旻改逢掖而緇之從居是山宴坐石室以慧力感通故旱麓泉涌以神功示現故皓雪蓮生巨蛇擁伏羣鹿聽法貞觀中雙峰過江望牛頭頓錫曰此山有道氣宜有得之者乃東果與大師相遇性合神授至于無言同躋智地密付眞印揭立江左名聞九圍學徒百千如水歸海由其門而爲天人師者皆脈分焉顯慶二年報身示滅道在後覺神依故山戒香不絶龕座未飾夫豈不思乎益神期冥數必有所待大和三年潤州牧浙江西道觀察使檢校禮部尚書趙郡李公在鎭三閏百爲大備尙理信古儒玄交修始下令禁桑門販佛以眩人者而于眞實相深達焉嘗謂大師像設宜從本教言自我啟因自我成乃召主吏籍我月入得緡錢二十萬俾秣陵令如符經營之三月甲子新塔成事嚴而工人盡藝誠達而山神來護願力既從衆心歸重告白龍象大會諸天聲香之蘊如見如聞即相生敬幽明同感尙書欲傳信于後遠命愚志之夫上士解空而離相中士著空而嫉有不因相何以示覺不由有何以悟無彼達眞諦而得中道者當知爲而不有賢乎以不修爲無爲也

章敬寺百巖禪師碑銘并序　權德輿

禪宗長老百巖大師之師曰大寂禪師傳佛語心法始自達摩至于惠能惠能之化行于南服流于天下大抵以五蘊九識十八界皆空猶鏡之明也雖萬象畢呈而光性無累心之虛也雖三際不住而覺觀湛然得於此者卽凡成聖不然則一塵瞥起六入膠固循環回復於生死之中風濤火輪迷忘不息授受胎合大師得之

一言宗通深入無礙師諱懷暉姓謝氏東晉流寓今爲泉州人孩提秀發博究書術一旦慨然曰我之祖先今安在耶四肢百體視聽動作孰使之然耶濯然雨泣誓服緇褐志在楞伽行在曹溪得圓明清淨之本去妄想因緣之習百八句義照其身心離文字化無方所於是抵清涼下幽都登徂徠入太行所至之邦蒙被法味止于太行百巖寺門人因以百巖號焉元和三年有詔徵至京師宴座于章敬寺每歲召入麟德殿講論後以疾固辭十年十二月二十一日恬然示滅其年六十其夏三十五弟子智朗志操等以明年正月起塔于灞陵原凡一鐙所傳一雨所潤入法界者不可勝書著法眼師資傳一編自雞足山大迦葉而下至于能秀論次詳實或問心要者答曰心本清淨而無境者也非遺境以會心非去垢以取淨神妙獨立不與物俱能悟斯者不爲習氣生死幻蘊之所累也故薦紳先生知道入理者多游焉嘗試言之以中庸之自誠而明以盡萬物之性以大易之寂然不動感而遂通則方袍褎衣其極致一也嚮使師與孔聖同時其顏生閔損之列歟釋尊在代其大惠綱明之倫歟至若從師受具之次第宰官大臣之尊信誕生入滅之感異今皆不書某三十年前常聞道於大寂聿來京下時款師言頃因哀傷似獲悟入則知煩惱不逮菩提雖聚散於此生期會歸於彼岸銘曰

西方之教南宗之妙與日竝照百巖得之爲代導師頽若瑠璃結火燔性愛流溺正凝冥奔命卽心是佛卽色是空師之通兮無去無來無縛無解師之化兮揭茲靈塔丹素周帀示塵劫兮

漳州三平大師碑銘并序

王諷

得菩提一乘嗣達摩正統誌其修證俾人知方則有大師法名義中俗姓楊氏爲高陵人因父仕閩生於福唐縣年十四宋州律師玄用薙髮二十七具戒先修三摩鉢提後修奢摩他禪那大師幻悟法印不汩幻機日損蘊結玄超冥觀先依百巖懷暉大師歷奉西堂百丈石鞏後依大顛大師寶麻初到漳州州有三平山因芟

薙住持儆爲招提學人不遠荒服請法者常有三百餘人示以俗諦勉其如幻解脫示以眞空顯非祕密度門虛往實歸皆悅義味知性無量於無量中以習氣所拘推爲性分知智無異於無異中以隨生所繫推爲業智以此演教證可知也大師一日疾背疽閉戶七日不通問洎出疽已潰矣無何門人以母喪聞又閉戶七日不食飲武宗皇帝簡併佛剎冠帶僧徒大師止於三平深巖至宣宗皇帝稍復佛法有巡禮僧常肇惟建等二十人刺史故太子鄭少師薰俾藏其事旬歲內寺宇一新因舊額標曰開元於戲知物不終完成之以禪教知像不盡法約之以表徵晦其用而不知其方本乎跡而不知其常咸通十三年十一月六日宴坐示滅享年九十二僧臘六十五諷自吏部侍郎以剏累謫守漳浦至止二日訪之但和容瞻目久而無言徵其意備得行止事實相見無閒然也問曰周易經歷三聖皆合天旨神道注之者以至虛而善應則以道爲稱以不思而玄覽則以神爲名達理者也經云隱而顯不

言而喻不疾而速不行而至後之通儒有何疑也異日又訪之適有刑獄因語及師曰孝之至也無所不善有其跡乃匹夫之合節法之至也莫得而私一其政則國之彝典其於適道適權又如此言訖頷之不復更言今亡矣夫彊擬諸形容因爲銘曰

觀跡知證語默明焉觀證知教權實形焉體用如一曷以言宣太素浩然吾師亦然觀其定容見其正性不閱外塵朗然內淨智圓則神理通則聖師能得之隨順無競吾之行止師何以知得性之分識時之機達心大師邈不可追

揚州華林寺大悲禪師碑銘 并序　賈餗

有天地而萬物生焉形氣推遷行識相緣一受其形萬化而未始有極沙界塵劫驅迷走妄浩乎若汨諸巨海而無垠也倀乎若囚諸闇室而無曉也四蛇六賊攻其內熱燄燋芽寓其質而昧者舉世猶竊竊然以彊力敏智可大取所欲攘螳臂而戰蝸角其不勝也則憂悲恐懼日以交馳曾未知夫牽於名而溺於惑者以形質

之相雖天地秋豪細大殊耳其有限一也其必盡一也以壽觀天雖萬齡一瞬修促異耳其有限一也其必盡亦一也況大不及天地而遠不至萬齡者又惡足以擬議哉此西方之聖人所以懸覺照於無極也自大迦葉親承心印二十九世傳菩提達摩始來中土代襲爲祖派別爲宗故第六祖曹溪惠能始與荊州神秀分南北之號曹溪既没其嗣法者神會懷讓又析爲二宗初師子比丘以遭羅大難恐異端之學起故傳袈裟以爲信迨曹溪凡十世而其間增上慢者徇名迷實至決性命以圖之故每授受之際如避仇敵及曹溪將老神會曰衣所以傳信也信苟在法衣何有焉他日請祕于師之塔廟以熄心競傳衣繇是遂絶師嗣法於神會大師者也上距大迦葉三十六代皆以眞空妙有覺性佛心默傳密付印可懸解行之謂般若到之謂涅槃得之者變凡聖猶反掌失之者淪生死於浩劫不以心得不著佛求知佛性之在我亦無我而可證洞然與虛空爲體無起無滅包大千而不礙窮萬古而不

老而神通自在顯晦無跡陶冶萬有未始生心然後爲得也其敎之大略如此師諱靈坦代宗皇帝錫號曰大悲姓武氏蓋則天太后之族孫也父宣官至洛陽令師生而神雋七歲舉童子及第年二十歷太子通事舍人逸羣高步脫落羈束雖在軒冕之中泊如也及隨父至洛陽聞荷澤寺有神會大師即決然蟬蛻萬緣誓究心法父知其志不可奪亦壯而許之凡操篲服勤於師之門庭者八九年而玄關祕鑰罔不洞解一旦密承屬付莫有知者後十五年而荷澤被遷於弋陽臨行謂門人曰吾大法弗墜矣遂東西南北夫亦何恆時天寶十一載也師既佩眞訣遊無定所以爲非博通不足以圓證故閱大藏於廬江浮查寺非廣問不足以具足故參了義於上都忠禪師繇是名稱高遠天下瞻企將東吾道固請出關天子降錫名之詔以顯其德時大厤八年也既周流江表四十餘載或山而棲或邑而遊鏡懸於空萬象俱納嵩嵩橫目所至成市癡愛貪欲榛荒心路以大無畏廓而闢之元和三年故丞相

趙公之爲揚州始處州之華林精舍以邀止焉初師之東遊也以世道交喪其日固久將息言向晦與物相遺怳惚之間若有以傳燈之契來授者且印指於頭曰以是爲信厥後每將演導則指跡如丹若乃制毒龍於金山柔猛虎於定山在江陰則神龜靈蛇之感現在江都則山鬼城神之懼伏皆顯仁藏用以示慈力斯衆目之所覩故略不盡書而惑者以爲怪迂之說不可爲訓是未聞菩薩大士遊乎不思議解脫者無心於物而物自交應者乎住華林九年年一百有八歷僧夏八十有八以元和十一年秋九月八日返眞於其寺明年建塔於州之西原門人徧于天下荷其教者惟上都西明寺全證證以自達摩以來皆有論譔而師之樂石未刻謂余能盡知其道寶厤元年駐錫于毘陵持其教宗與師之行事願得文而建諸塔廟余因採其昭昭可述者載于碑時丞相太原公總戎淮南之三年也其銘曰

茫茫萬有兮生死同纏業風振海兮識浪滔天覺者云誰兮有西方之大仙慈悲廣大兮妙力無邊入萬度門兮異派同源文字言說兮罔非蹄筌惟心法皎皎兮如月斯懸惟大迦葉兮首得而傳代代繩繩兮鐙不絕然迄于荷澤兮師又嗣焉法存形謝兮諸祖其然門人思慕兮塔彼西原將祈不朽兮余可無言

洪州開元寺石門道一禪師塔碑銘 并序

權德輿

鍾陵之西曰海昏海昏南鄙有石門山禪宗大師馬氏塔廟之所在也門弟子以德輿嘗游大師之藩俾文言而揭之曰三如來身以大慈爲之本六波羅蜜以般若爲之鍵非上德宿殖者惡乎至哉大師諱道一代居德陽生有異表幼無兒戲嶷如山立湛如川渟舌廣長以覆準足文理而成字全德法器自天授之嘗以爲九流六學不足經慮局然理世之具豈資出世之方唯度門正覺爲上智宅心之域耳初落髮於資中進具於巴西後聞衡嶽有讓禪師者傳教於曹溪六祖貞心超詣是謂頓門跋履造請一言懸解

始類顔子如愚以知十俄比淨名默然於不二又以法惟無住化亦隨方嘗禪誦於撫之西裏山又南至于虔之龔公山攫搏者馴悍戾者仁瞻其儀相自用不變刺史今河南尹裴公久於稟奉多所信嚮由此定惠發其明誠大麻中尚書路冀公之爲連帥也舟車旁午請居理所貞元元年成紀李公以侍極司憲臨長是邦勤護法之誠承最後之說大抵去三以就一舍權以趣實示不遷不染之性無差別次第之門嘗曰佛不遠人卽心而證法無所攝觸境皆如豈在多歧以泥學者故夸父誤詬求之愈疏而金剛醍醐正在方寸於是解其結發其覆如利刃之破胷索甘露之灑稠林隨其義味快得善利者可勝道哉化緣既周趺坐報盡時貞元二年四月庚辰春秋八十夏臘六十前此以石門清曠之境爲宴默終焉之地忽謂入室弟子曰吾至二月當還爾其識之及是委化如合符節當夾鍾發生之候協拘尸薪火之期緇素幼艾失聲望路渡涸流而法雨滂灑及山門而天香紛靄天人交感昧者不知

沙門惠海智藏鎬英志賢智通道悟懷暉惟寬智廣崇泰惠雲等體服其勞心通其教以爲吾師眞性湛然與虛空俱唯是體魄化爲舍利則西方之故事傳焉不可已也乃率龥其徒從荼毘之法珠圓玉潔煜燿盈升建茲嚴事衆所瞻仰至七年而功用成竭誠信故綴也德輿往因稽首麤獲擊蒙雖飛鳥在空莫知近遠而法雲覆物已被清涼今茲銘表之事敢拒衆多之請銘曰

達摩心法南爲曹溪頓門巍巍振拔沈泥禪師弘之俾民不迷九江西部爲一都會亦既戾止玄津橫霈慈哀攝護爲大法礪五濁六觸翳然相蒙直心道場決之則通隨器受益各見其功眞性無方妙道不竭顧茲夢幻亦有生滅微言密用煥炳昭晰過去諸佛有修多羅心能悟之在一剎那何以寘哀茲窣堵波

無姓和尚碑銘 并序　柳宗元

維某年月日岳州大和尚終于聖安寺凡爲僧若干年年若干有名無姓世莫能知其閭里宗族所設施者有問焉而告曰性吾姓

也其源無初其胄無終承于釋師以系道本吾無姓耶法劒云者我名也實且不有名惡乎存吾有名耶性海吾鄉也法界吾宇也戒爲之墉惠爲之戸以守則固以居則安吾閭里不具乎度門道品其數無極菩薩大士其衆無涯吾與之戚而不吾異也吾宗族不大乎其若可聞者如此而止讀法華金剛般若經數逾千萬或譏以有爲曰吾未嘗作嗚呼佛道逾遠異端競起唯天台大師爲得其說和尚紹承本統以順中道凡受教者不失其宗生物流動趣向混亂唯極樂正路爲得其歸和尚勤求端懿以成志願凡聽信者不惑其道或譏以有迹曰吾未嘗行始居房州龍興寺中徙居是州作道場于楞伽北峰不越閫者五十祀和尚凡所嚴事皆世高德始出家事而依者曰卓然師居南陽立山葬岳州就受戒者曰道穎師居荊州弟子之首曰懷遠師居長沙安國寺爲南嶽戒法歲來侍師會其終遂以某月日葬于卓然師塔東若干步銘曰

道本於一離爲異門以性爲姓乃歸其根無名而名師教是尊假以示物非吾所存大鄉不居大族不親淵懿內朗沖虛外仁聖有遺言是究是勤惟動惟默逝如浮雲教久益微世罕究陳爰有大智出其眞門師以顯示俾民惟新情動生變物由壇淪爰授樂國參于化源師以誘導俾民不昬道用不作神行無迹晦明俱如生死偕寂法付後學施之無斁葬從我師無忘眞宅薦是昭銘刻茲玄石

碑陰記

無姓和尚既居是山曰凡吾之求非在外也吾不動矣弘農楊公炎自道州以宰相徵過焉以爲宜居京師強以行不可將以聞曰願聞歲乃往明年楊去相位竄謫南海上終如其志趙郡李萼辨博人也爲岳州盛氣欲屈其道聞一言服爲弟子河東裴藏之舉族受教京兆尹弘農楊公某以其隱地爲道場和州刺史張惟儉買西峰廣其居凡以貨利委堂下者不可選紀受之亦無言將終

命其大弟子懷遠授以道妙終不告其姓或曰周人也信州刺史李某爲之傳長沙謝楚爲行狀博陵崔行儉爲性守一篇凡以文辭道和尚功德者不可悉數弘農公自餘杭命以行狀來懷遠師自長沙以傳來使余爲碑旣書其辭又假其陰以記

文粹卷弟六十四

文粹卷第六十四

自長沙以傳來與余書屬所書其辭文假其談以記

師道和尚以德者不可悉數況貴公自除赴命以行狀來懷遠詣

于某爲之傳長沙[illegible]行州[illegible]寶行偈爲碑守一篇凡以文

命其大弟子懷遠校以道妙爲系不古其宗政曰周人也信州刺史

文粹卷第六十五

吳興　姚鉉　纂

碑十七　總十一首

釋

道

復東林寺碑銘　并序

崔黯

佛之心以空化執智化也以福利化欲仁化也以緣業化妄術化也以地獄化愚劫化也故中下之人聞其說利而畏之所謂救溺以手救火以水其於生人恩亦弘矣然用其法不用其心以至於甚則失其道蠹於物失其道者迷其徒蠹於物者覆其宗皆非佛之以手以水之意也爲國者取其有益於人去其蠹物之病則通矣唐有天下一十四帝見其甚理而汰之而持事之臣不以歸元返本以結人心其道甚傑幾爲一致今天子取其益生人稍復其教通而流之以濟中下於是江州奉例詔余時爲刺史前訪茲地松門千樹嵐光熏天蜩嘒響滿鳴（松有）籟泠然可別愛而不翦利以時往（時廢寺皆隸戶部悉賣所）至是卽喜而復之民物之困不可橫賦得舊僧正言問能復東林乎曰能卽斷其髮佳而勉之又命言擇其徒

文粹卷第六十五

吳興　姚鉉　纂

碑十七　釋十一首

釋

道

復東林寺碑銘　并序　崔黯

[illegible]

得二十九以隸其下皆心生力完臂股相用言則隨才賦事分命告復所至響應下虔江之木鳩食訪工陶土冶鐵匠成於心授規於手日而不笠雨而不屐爨餁煮湯優犒執藝若殿若廂若門之三若闕之左右爲塔若講若食若客之館若庫爲樓若廚激飛泉而注於鬵鍑之間若梁蜺於武（校武字下疑有脫誤）若亭臨於白蓮若僧之房若聖之室若突蹴勝若卻居幽奇可不尋雅不出位則爲間三百一十三爲架一千八百七十六爲楹爲梁爲棟爲桷爲牖爲闔爲屋之事數爲級塼爲蓋瓦凡役工合六十五萬三百二十八緡縕端明嚴若有主大中六年二月十四日言命以圖及其備錄訪余爲其刻石之文且曰自遠公至今若干歲而傳法之地滅矣賴君復之君宜主書其事余則曰復之者上也主其事而書之於言公不辭余嘗觀晉史見惠遠之事及得其書其辯若注其言若鋒足以見其當時取今之所謂遠師者也吾聞嶺南之山峻而不秀嶺北之山秀而不峻而廬山爲山峻與秀兩有之五老窺湖懸泉

墜天秔香藥靈鳥閒獸善煙嵐之中悅有絳節白鶴使人觀之而不能迴睞也且金陵六代代促時薄臣以功危主以疑慘澹陽爲四方之中有江山之美惠遠豈非得計於此而視於時風邪然鷙者搏蟺襲者拘素前人不暇自歎者多則遠師固爲賢矣是山也以遠師更清遠師也以是山更名暢佛之法如以曹溪以天台爲號者不可一二故寺以山山以遠三相挾而爲天下具美矣今言師懸佛之法推遠之心修廢之勤任其事不宰其功讓功於義明義明曰余何能言之績也讓功於建省建省曰某何能言之力也讓功於鏡暘以緡物元諫以眾材清持以播殖景仁以化施皆曰某何能言之方也非言不顯義非義不顯言推與讓至於是而不宏大敏固始終一致者未之有也移之於邦國之理何故不成哉

銘曰

萬竅怒號羣波猛起刑戮不加仁義莫止有得佛心則滅諸熾惠以性生性以悟理山增惠臺鑑闢妄軌根深則定葉茂則死可用

理人不獨養己峨峨匡峰矯矯惠子梁以崇山津以江水不騫不竭吾道曷已上復其道吾以塞詔惟師正言勸以克肖四五年來休功再紹推能與類類以言妙不曰良能孰臻此要山川不改舊物復新誠汝其徒誕將又淪

唐鄂州永興縣重巖寺碑銘并序　舒元輿

官寺有九而鴻臚其一取其賓而往來也臚者傳也傳異方之賓禮儀與其語言也寺也者府署之別號也古者開其府署其官將以禮待異域賓客之地竺乾之教蓋西土絶徼者也自漢氏夢有人如金色之降其流來東吾之鴻臚待西賓一支特異於三方厥後斯來委於吾土吾人仰之如神明焉伏之如風草焉至有思覩厥貌若盼然如見者則取其書梭其云云之文鎔金琢玉刻木扶土運豪合色而彊擬其形容構厦而貯之猶波之委於瀆瀆之注於溟晝夜何曾知停息之時其如是非官寺之一而能容焉故釋寺之作由官也其非九而能拘也其制度非臺門旅樹而能節也

故十族之鄉百家之閭必有浮圖爲其粉黛國朝沿近古而有加焉亦容雜夷而來者有摩尼焉大秦焉祆神焉合天下三夷寺不足當吾釋寺一小邑之數也其所以知西人之教能蹴踏中土而內視諸夷也及其繁也學徒如林金貝如山故文昌宮祠擘局而司之東西都命貴人分衢而使之商其略猶天文隸於河漢而莫之極也非名無以別之乃隨事而出焉有見天地符祥而稱之者有取山川秀絶而號之者語其額而名可知也重巖之作盖山川秀絶之地統江夏之永興寶應元年秋七月自天有命而升於文昌宮之春官籍考其地有重巖峽焉故命寺乞此名以大厤十三年遷縣於長慶鄉寺亦與遷貞元八年縣又遷之長樂深口寺亦隨動今之地直縣之坎三百六十步有邑人葉望者心存於金色人不待布金而出其地以奉之輪廣二百畝右肘於熊耳左腋於覆盆連岡伏其背深湖朝其嚮擁抱之勝盡在其土有僧曰謙曰諷手開榛蕪置而立困竟遺其恨於後焉長慶三年春三月上座

僧艮鑒沙門器有公識爲其徒所推乃執柄結構圭廢興爲己任寺以利堅沙門與都維那道援志力是俱物無橫議邑俗之倫以貨來資者如官司驅焉至明年春二月星一周而新功成樹宇之爲殿者其閒五扶土而爲像者其形七帳之飾寶者如殿閒焉乃鑿門而三張翼而廊殿陰有北方挂金革天神之宮東北有禪氏七代祖沙門棲心之室也凡二十四曲突而能庖築堂而會食拓庭而寬植木而陰湖山參差金碧相錯舍舟車而極其心相者宜化成焉嗚呼域外之敎而入於域中如此而大邪人謂沙門之無才吾不信也艮鑒既以力之辛勤而就亦欲其事流之於異時乃買武昌石琢磨爲碑自永興錄其狀詣授於余因摭其狀而書之復紀以銘銘曰

重巖重巖無峽無友釋宮斯闢上矗星斗虹霓梁棟日月戶牖金相凝凝煙水奔走雷飈箭雨溟濛不朽礫然之石附地之厚刻其成功垂耀于後

大雲寺禪院碑銘 并序

李邕

天也地也攝生之謂玄造日也月也容光之謂神功然亭育之仁可斡終滅昭明之力未焯昏霾故熱惱積薪劫燒難鑠驚波巨海沃焦自淵獨有導師空王禪那宴寂一念首安住之域加行證無爲之階密敎內修莊嚴外度雙引相應並照兩忘然後生無生淨名不去照無照了義能覺藝菩提之炬則枳棘滌除楫般若之航則橫流既濟湛四禪於中道超三有以上征精舍攸隮度門斯盛其此之謂矣粵有寺之艮背山之前臨有確師禪房者武德八年邦守蕭公諱顗護法之所建也周目環郭澄心際海亦既一味實無衆生夫憑其高宅其勝曾近俗諦或乘法流且水出於冰凡作於聖雖曰醜地猶是道場矧乃妙有孤標寶相靈變入我室觀我形者哉施及貞觀歲有等觀禪師繼前心承後問分之則別位二事合之則同列大空坐於斯竟於斯於戲四[illegible]風驅百爲火滅棟宇崩落象設傾陊先天中有慧藏禪師聞之斯行居而不住妙齡

彊植勁節老成被甲律儀下帷經藏方丈之室時歷十年簞瓢之飧日常一食信爲法本悟實如宗簡珠圓明紅蓮清淨薙髪結落亡境受除生起了於身緣覺被於物是以興補舊塔建置尊容彌陀當其陽菩薩侍其側四大海水慧眼啟明五須彌山豪相崇絶有若稽義摭實沿名討因都極樂之大郊壽無量之景命借如昔者稱贊觀厥音聲克濟斯艱乃復于遠則有階地超越自在神通發弘願心得大勢用皆所以濡火宅軔劒輪投地者結業坐開入影者苦趣以息粤若殫財竭力刻桷雕題積三四年模造化意寶殿蔚以雲構金山煥其日臨豈徒然哉夫壯麗者將以重威神儀形者將以攝歸止或離性解脱或見作隨緣藥草寓其根莖雲雷感其方類卽說非說若通不通惟三獸之渡河庶一子之來學禪師以爲默則絶教言則牽文苟心事於化人豈迹畱於舍法會議斵石僉允圓功邑來守是邦偶聞茲事依僧依佛何日忘之在家出家惟其常矣頃者下檄湖海申明捕殺鱗羽咸若災疫以寧救蟻雖尙於沙彌涸魚每憂於釋種祁寒則怨童子何知率三省於短懷寄一塵於寶地別駕弘農楊公守堅字越石本枝鼎貴胄肖岳靈直道守公智印觀法司馬瑯邪王公元勛字固禮高閬龔吉皇士令名資位升聞妙意融朗盛矣美矣左之右之時新羅通禪師五力上乘一門深入利行攝俗德水浮天贊而演成荼而有述

其詞曰

覆燾之獎始生終滅昭回之明内昏外徹陰入不斷心起難折釁海慾深洪鑪火熱倬彼大師超然正覺亡境息想示法流渥絶生死岸破煩惱殼度門光啟住地玄邈傳鐙三葉分座一義象設儀形莊嚴地位有爲不染無相能離苟曰法乘莫非種智古者豐石抗之高山紀事標祉銘勳列班廣茲妙有運彼玄關則百伊昔粤吾無間

宣州新興寺碑銘并序　盧肇

至哉邃古已來天之永錫正命者其惟帝唐乎聖祖神宗光啟土

宇垂億萬祀克承休嘉莫不以禮樂先兆人以慈儉後天下仁居惠往營魄離者而其施猶存揭淺厲深心迹泯者而厥功亦在夫常善救人常善救物非至德誰能普行之故鬼神受祉黎元樂康寶祚延洪率由此道也於是表大覺爲靈根與羣生共有明眞空而不壞惟聖者獨知非崇夫金輪氏之教則焉得窮理盡性齊萬法於物我哉是以沈善惡乎澆妄之泉擢枝莖乎植性之囿常令學者崇飾精廬顯有堂皇亦如庠序郡國分理必付元臣將俾羣列刹映乎霄顯飛甍麗乎陽光瞻彼玉豪儼然金地翬軒鵬眈岫生罔不開悟且夫斯干秩秩止在周邦靈宮彤彤唯居魯國曷有聳雲攢偏于州都若斯之美歟若夫宣城新興寺者會昌四年旣毀大中二祀故相國太尉裴公之所立也公諱休字公美河東聞喜人代濟文德洎公彌大擢進士甲科登直言制首未三十由拾遺遷殿內鴻名偉望迭處清雄入奉絲綸出省風俗拜春官則齊驅驥騄視民部則克阜生齒至於調人王府貨出水衡洎陟台司

亦勞厥事凡三拜廉察五授節旄孫先生有愧知兵山巨源當慙視吏捘路旣長乎百辟荆門復平乎水土公降由辛未歸以甲申爲唐碩臣作佛大士光琨顯竹此不復書所至之邦必興修淨行大中二年拜宣城嘗與名緇會難有設疑以試公者曰三界虛妄羣生顛倒何有修行能解纏縛孰爲智慧可化凡愚胡爲乎公之區區徒自橈耳公曰嘻珠玉在櫝啟之則見其珍聖賢有門行之則踐其閫分塗而往唯善惡焉善惡之殊如東西耳趨之不已則至其所至焉在乎推心於不染馭馬於無塗如是三界信眞實羣生非顛倒但學者不能窒慾攘貪遺名去利弗舍有漏而思往無爲耳然舍之自我取不由人非用智惠解彼纏縛如此則了無一物以橈吾眞也他日門人有謂公曰敢問三界之言未立人不知修行不見因果畏陰隲者不爲之多介景福者不爲之少理亂增損繫乎其時洎斯教也行乎諸華愚人畏罪損其惡賢者望福增其善增之不已則至今當盡善矣損之不已亦至今宜無惡矣何

昏迷暴虐無減於秦漢之前福慧聰明不增於魏晉之後歸之者殊塗輻湊立之者萬法雲興稽諸天不見其文求諸古莫有其法號爲大聖作天人師是宜使吾人盡升覺路不宜使蚩蚩庶類由古迄今若斯之迷者也設使象法至今未行將盡墮惡道爲鬼爲蜮乎夫法未始有今而有之希聖之徒可存而知之也其由之之固庸非溺乎公笑謂之曰大昭肇啟法不濟備聖人繼出代天爲工結繩畫卦質文滋改一聖立一法生天道人事顯若符契夫燧人氏之未爲火也則天無火星人無火食龜無火兆物無火災必矣少昊氏之未理金也則天無金星人無金用龜無金兆物無金災必矣及聖人攻木出火鍛石取金於是乎精芒主宰騰變上下則知世法時事隨聖而立佛聖人也考精神之原窮性命之表作大方便護于羣生羣生受之而不知蓋猶天道運行物以生茂皆謂自己孰知其然也於是問者廓然自得佛味武宗時毀寺而宣之新興故有崇基廣厦文甓雕甍鞠爲土梗唯喬柯灌木森聳澗壑祥煙翠靄交覆巖麓耳及宣宗詔許立寺宣之四人相鼓以力請先立之于宣郛公獨不許遂命苾蒭上首元敬謂之曰吾聞之新興寺大麻初有禪師巨偉南宗之上士也與北宗昭禪師論大慧綱明實相際於此始作此山道場後有浩禪師作草堂于道場西北其傍有藻律師居之律師去世門人立塔院貞元中巨偉之門人靈翹始請於太守合三院而爲寺彼皆智慧傑出親啟山林今之立寺無以易此也議定郡東故有妙覺寺寺雖毀而杉檜多大十圍一旦有二龍鬬谷中拔大樹三十二視之皆殿宇之材也公歎曰將立寺而龍拔巨樹天其有意乎遂用之於是霜斤沐楹玉砂瑩礎上下其響音中桑林不朞年而雲攢四榮風搖寶鐸蟉拏六扇月照金鋪勝絶一源繚牆百雉繕修多羅爲攝受置無盡藏爲莊嚴窗窱幽邃輪奐博敞蓋江南之首出也初奉詔隸僧三十八今其存者太半構殿立門有軒有廡則律師元敬法華道延首其事編經立藏不遺句偈則維摩從省禪門貞會著其功善集

檀施備修房廊學于三時旁窺六義則金剛清越服其勤而法華遂言涅槃明則洎法林超度皆以禪學爲宗律師道隨宜春人幼植淨行得泥丸妙旨一日以披文相質之事造余于新安余既許之道隨復言繼二十人者皆善修持能遺物累則有應玄友恭道幽仁寶懷賓從儉惟恭文昉師迴師宗思靜常政文暢弘暢契蒙景先法進惟勤志弘玄操與前輩又爲二十八人矣而太尉所立有殿內千佛有地藏院有上方石盆院又以俸錢入膏腴之墅爲地藏香火定中之謀始于太尉太尉作之門人述之有作有述誰曰不然乃爲銘曰

奕奕新興敬亭南麓鉅構崇基崢嶸瞻煜伊昔既廢神愁鬼毒洎將再榮天人合福葩有遠龍其怒則觸助作棟楹拔此巨木雨運風移騰川跨陸神怪戮力老幼同心蚨翼飛貨龍鱗布金揭立赫奕化成嶔崟玉礎方丈花臺百尋日明香刹雲生寶林太尉裴公聳其學者弘以戒光甘露披灑示厥有爲取彼難舍必有精靈扶持大厦小儒刻石有慙史野永言歌之庶近風雅

蘇州重玄寺法華院石壁經之碑　白居易

碑在石壁東次石壁在廣德法華院西南隅院在重玄寺西若干步寺在蘇州城北若干里以華言唐文譯刻釋氏經典自經品衆佛號以降字加金焉夫開士悟入諸佛知見以了義度無邊以圓教垂無窮莫尊於妙法蓮華經凡六萬九千五百五言證無生忍造不二門住不可思議解脫莫極於維摩詰經凡二萬七千九十二言攝四生九類入無餘涅槃實無得度者莫先於金剛般若波羅蜜經凡九千二百八十七言壞罪集福淨一切惡道莫急於佛頂尊勝陀羅尼經凡三千二十言應念順願願生極樂土莫疾於阿彌陀經凡一千八百言用正見觀眞相莫出於觀音普賢菩薩法行經凡六千九百九十言詮自性認本覺莫深於實相法蜜經凡三千一百五言空法塵依佛智莫過於般若波羅蜜多心經凡二百五十八言是八種經具十二部合一十一萬六千八百五十

七言三乘之要旨萬佛之祕藏盡矣是石壁積四重高三尋長十有五丈厚尺有咫有石蓮敷覆其上下有石神固護其前後火水不能燒漂風日不能搖消所謂施無上法盡未來際者也唐長慶二年冬作大和三年春成律德沙門清晃矢厥謀清海繼厥志門弟子南容成之道則終之寺僧契元舍藝而書之郡守居易施詞而讚之讚曰

佛涅槃後世界空虛惟是經典與眾生俱設後有人書貝葉上藏檀龕中非堅非久如蠟印空假使有人刺血爲墨剝膚爲紙卽壞卽滅如筆畫水噫畫水不若文石印蠟不若字金其功不朽其義甚深故吾謂石經功德契如來付囑之心

有唐天下放生池碑銘 并序　顏眞卿

皇唐七葉我乾元大聖光天文武孝感皇帝陛下以至聖之資屬艱虞之運無少康一旅之眾當祿山強暴之初乾聳勞謙勵精爲理推誠而萬方胥悅克己而天下歸仁恩信侔於四時英威達於八表功庸格天地孝感通神明故得迴紇奚霫契丹大食盾蠻之屬扶服萬里決命而爭先朔方河東平盧河西隴右安西黔中嶺南河南之師鳩躪五年推鋒而效死權元惡如拉朽舉兩京若拾遺慶緒遁逃已蒙赤族之戮思明跧伏行就沸鼎之誅拯已墜之皇綱據再安之宗社迎上皇於西蜀申子道於中京一日三朝大明天子之孝問安視膳不改家人之禮蒸蒸然翼翼然眞帝皇之上儀誥誓所不及已歷選內禪生人以來振古及隋未有如我皇帝者也而猶嫗煦萬類勤勞四生乃以乾元二年太歲己亥春三月己丑端命左驍衛右郎將史元琮中使張廷玉奉明詔布德音始于洋州之興道洎山南劍南黔中荊南嶺南江西浙江西諸道訖于昇州之江寧秦淮太平橋臨江帶郭上下五里各置放生池凡八十一所蓋所以宣皇明而廣慈愛也易不云乎信及豚魚書不云乎洎鳥獸魚鼈咸若古之聰明睿智神武而不殺者非陛下而誰昔殷湯克仁猶存一面之網漢武垂惠纔致銜珠之答雖流

水救涸寶勝稱名蓋事止於當時尚介祉於終古豈若我今日動者植者水居陸居舉天下以爲池磬域中而蒙福乘陀羅尼加持之力竭煩惱海生死之津揆之前古曾何髣髴微臣職忝方面生丁盛美受恩寖深無以上報謹緣臯陶奚斯歌虞頌魯之義述天下放生池碑銘一章雖不足形容明聖萬分之一亦臣之精懇也敢刻金石著其詞曰

明明皇帝臨下有赫至德光天乾元啟曆緯武戡亂經文御厤孝感神明義形金石仁覆華夏恩加蠻貊道冠巍巍威深虩虩邁茲多難克廣丕績慶緒致誅思明辟易人道助順天道惡逆撲滅之期匪朝伊夕乘此寶祚永康宗祏業盛君親功崇列辟交禪之際粲然明白迴映來今孤高往策去殺流惠好生立辟率土之濱臨江是宅遂其生性庇爾鱗翮環海爲池周天布澤致茲忠厚罔弗怡懌動植依仁飛沈受獲流水長者從稱往昔寶勝如來疇庸允格德力無競慈悲孔碩相時傳聞尚賴弘益矧在遭遇其忘敷錫眞卿勒銘敢告凡百

乞御書題天下放生池碑額表

臣眞卿言臣聞帝王之德莫大於生成臣子之心敢忘於讚述臣去年冬任昇州刺史日屬左驍衛左郎將史元琮中使張廷玉等奉宣恩命於天下州縣臨江帶郭處各置放生池始于洋州興道迄于昇州江寧秦淮太平橋凡八十一所恩霑動植澤及昆蟲發自皇心徧于天下歷選列辟未之前聞海隅蒼生孰不欣喜臣時不揆愚昧輒述天下放生池碑銘一章又以俸錢於當州採石兼力拙自書蓋欲使天下元元知陛下有好生之德因令微臣獲廣昔賢善頌之義遂絹寫一本附史元琮奉進兼乞御書題額以光揚不朽緣前書點畫稍細恐不堪經久臣今謹據石擘窠大書一本隨表奏進庶以竭臣下慺慺之誠特乞聖恩俯遂前請則天下幸甚豈唯愚臣昔秦始皇暴虐之君李斯邪諂之臣猶刻金石垂於後代魏文帝外禪之主鍾繇偏方之佐亦於繁昌立表頌德況

陛下以巍巍功業而無紀述則臣竊恥之謹昧死以聞伏增戰越
臣眞卿誠惶誠恐頓首死罪謹言

御書批答

敕朕以中孚及物亭育爲心凡在覆載之中畢登仁壽之域四靈是畜一氣同和江漢爲池魚鼈咸若卿愼徽盛典潤色大猷能以懿文用刊樂石體含飛動韻合鏗鏘成不朽之言紀好生之上德唱而必和自古有之情發于中予嘉乃意所請依奏

唐寶厤崇元聖祖院碑銘 幷序　　賈餗

唐寶厤二年歲直景午浙右連帥御史大夫贊皇公新建聖祖院于大茅峰下崇元觀之前上直夫華陽洞之南門集羣仙之靈慶資聖壽於萬億本其經始實感周先生出應昌運爲唐廣成薦瑞表祥式旌不朽於是恩錫院額號曰寶厤崇元聖祖院玄門之盛輝動巖谷時唐興二百有九載天子以神聖文武惟新景命德合乎五千文之玄訓明繼乎十二聖之丕業以清靜源化理以仁壽

域生靈陶之以大和躋之於至順故自臨馭大寶則申詔百辟旁延萬邦推誠備禮徵訪至道寤寐孜孜如恐不及夫明天子勤求于上必賢方伯感致于下君臣一德而道德可興乃其年秋七月公以天子之命齋戒虔懇果得周先生曰息元實元精之全德大道之宗師也先生葆眞抱一涵光吹萬天下聆其風者久矣而遐襟曠迹冥寄希夷顯晦自我人莫能識夫玄珠非謀詎可索至道惟精誠是致故累聖之所不能起而一朝感契洪化蒸然來思且謂公曰昔廣成對理身之問鴻蒙啟養心之說二者皇王之大本也今某亦將以斯道上報吾君公於是澄心清神思所以慶皇休而贊景福遂與先生圖議選置玄宇相彼形勝棲靈此峰昔梁朝福鄉太子置道館二其古壇廢井遺趾猶在乃鏟荒夷險鬱起層構散俸錢以資其費擇幹吏以董其役翬飛矢直不日而成像設崇嚴殿宇沈邃神仙儀衛左右森列幷桉舊史氏得仲尼問禮關尹請著書之像咸備于前蓋將會通仙而肅百靈以永爲國家齋

醮之勝選也況三茅精氣二許馨烈古來得道於是者代有其人考傳驗圖若可攀揖而繚垣之內有流泉嘉木滋飾幽潤地靈境秀觸類增益懋此成績與山無窮永惟聖祖育德乎太極之前顯靈於未形之表當是時也合散消息莫可名象明而爲日月動而爲風雲播育而不測運行而不殆君得之冢章以挈天地臣得之傳說以相武丁吾何爲哉道本一貫及夫神化挺生含章炳靈象帝之先資我彊名將寄言以顯玄樞錫羡以興皇業猶龍既見萬物方覩是宜夫垂休儲祉長發其祥億萬斯慶集于寶厤此崇元新院所以得時而啓也初公以上方崇禰道德計天下有道之士可以當是大選者惟周先生一人而已故其招致之忠藎訪求之精實則先生不得不出而公之誠節不得不伸既而聖情感極萬國瞻賀其逢迎之優異禮貌之嚴顯自古尊師重道之盛無以加也則眞宗玄極至道之精不得不洞契乎上心播宣於理術俾風流澤浸廣被八區嗚呼此先生所以出而不疑亦所以示天下之不可不致如己者當吾君之至理適吾道之可行千載一期起乃時耳翔公以濟代全才合乎休明樹風南藩績最天下前歲興建儒學而天降膏露顯于廟庭俗變風移遂至於道今之輝崇眞館闡奉玄化上感睿旨下孚元元仁聲順氣流溢四境推是爲政大而伸之則致君經國之用可見矣又況封部之內融汰之下徧識玄元之教俱爲嵔嵎之人顧難乎哉餗謬列屬城獲詳事實又嘗以春秋屬詞爲學故承命奮筆直而不文其銘曰

聖運先啓山川效靈黃帝爲君起乃廣成崆峒至言兮復行兮明明天子以道致理方伯虔誠先生戾止累聖莫致今兹起兮玄感既宣化流溥天公拜稽首天子萬年何以薦神御玄元兮閎宇崇崇聖祖尊容神而明之神應豐融華陽仙洞大茅峰兮金牓瑤壇仙術眞官羽節淩風珠佩珊珊是醮是齋百福延兮名崇天錫境占地久下薦臣忠上資聖壽靈山萬歲績不朽兮

連州靜福山廖先生碑銘 并序

蔣防

沖先生名也清虚先生字也本郡主簿西曹祭酒湘東王國常侍先生官也靜福山先生家也於戯先生之名玉堂金簡之名矣先生之官詞林學府之官矣先生之家紅霞丹景之家矣至若鶴骨松貌泉渟谷虚寓形人間天地無累與夫扶桑公陶隱居張天師遥爲師友矣以梁大通三年家此山陳光大二年去此山春秋九十七門人邑子無以知其蹤但徘徊醮壇泣對香火而已長慶末余自尚書司封郎中知制誥翰林學士得罪出守臨汀尋改此郡揖先生至道登先生舊山捫蘿撥雲瞻仰不足稽首巖戸强爲之銘曰

玄都丈人大道之師靜福先生從而學之仙書無文仙語無詞以心傳心天地不知猛虎我策長蛇我持放情逍遥今古爲誰華表白鶴千年一歸不知先生此會何時瞻望雲路人間後期

京師至德觀觀法主孟法師碑銘 并序　　岑文本

觀夫太陽始旦指崦嵫其若馳巨川分流赴渤澥而不息是以至

人無己先天地而御六氣列仙神化隘宇宙而遺萬物豈與齊魯搢紳束名教於俄景漢魏豪傑徇榮利於窮塗何異乎蜉蝣生於崇朝爭長於竈鶴秋豪出於末兆計大於崑閬者哉若迺岱山龍駕傳神丹之祕訣秦都鳳祠流洞簫之妙響用能延積年於昧谷振朽骨於玄廬白玉之簡祈西王而可値青雲之衣師東陵而易襲豈非度世之寶術登遐之妙道焉法師俗姓孟氏諱靜素江夏安陸人也其先徙里成仁繼跡於孔墨冬筍表德齊聲於曾閔是以貽則當世錫類後昆軒冕之盛既富於天爵賢明之質獨表於仙才固以軼仲弓之奕葉邁陽元之餘慶者矣法師稟兩儀之靈和體五常之休德崇蘭散馥掩蕭艾於芳春朗月揚暉蕩雲霧於清夜盈尺之寶出鄗鄧而連城徑寸之珍入大梁而照乘豈惟楊號異才馳聲益部曹稱孝行播美上虞而已哉幼而慕道超然拔俗志在芝桂譬芻豢於糠粃心繫煙霞方綺羅於桎梏既而初笄云畢迨吉有典懿戚託繼世之援慈親割相離之情千金甫陳百

冲先生名也清虛先生字也本郡主簿西曹祭酒[illegible]東王國常侍
先生官也[illegible]山之先[illegible]
[illegible]
銘曰
[illegible]
心[illegible]天地不知[illegible]
自[illegible]
京師至德觀法主孟法師碑銘 并序 岑文本
觀夫大陽始旦指嶓岷[illegible]而不息是以至

[illegible]
人無已[illegible]天地而御六氣[illegible]神[illegible]宇宙而遺萬物[illegible]
[illegible]
以安[illegible]人也其先[illegible]
[illegible]
[illegible]

雨將戒法師凌霜之操必守節於玄冬匪石之誠誓捐生於白刃素概難奪嘉禮遽寢乃脫屣通德之門絕景集靈之館虔修經戒長甘蔬菲漱元氣於亭午思輕舉於中夜若夫金簡玉字之餘論玄化道樞之妙旨三皇內文九鼎丹法莫不究其條貫猶登山而小魯踐其戶庭若披雲而見日允所謂天挺才明人宗模楷者已隋高祖文皇帝聞風而悅徵赴京師亦既來儀居于至德之觀公卿虛己士女翹心於是高視神州廣開眾妙懸明鏡於講肆陳鴻鍾於靈壇著籙之侶升堂者比迹問道之客及門者成蹊雖列星之仰天津眾山之宗地軸未足以喻也我高祖以大聖締基功踰覆載皇上以欽明纂厤道冠犧農崇三清以緯民懷九仙而濟俗天地交泰中外和平法師維持科戒弘宣經典時歷夷險懷趙璧而無玷年殊盛衰鼓吳濤而不竭跡均有待心叶無爲循大小於天倪既齊椿菌忘壽夭於物化寧辨彭殤而靈氣有感仙骨夙著金液方授駕白龍而不反玉棺遽掩望青鳥之來翔以貞觀十二

年七月十二日遺形而化春秋九十有七顏色如生舉體柔弱斯蓋仙經所謂尸解者也冕旒惜道門之梁壞搢紳悼人師之云亡固以恩侔徹樂悲踰輟相有勑賜以賻禮資給葬事並加隆焉弟子陳光等義結在三名高入室對衣履而增絕瞻風雲而永慕思欲寄銘讚以敘思勒琬琰以紀德俾夫成銀之室神變久而若存遺履之地靈蹟垂於不朽其詞曰

西秦籥響東陵聖迹霞舉玉京雲開金液飛廉先路句芒奉璧形表丹青聲流金石玄風誰纂允屬賢明翟衣絕志鶴御依情棲心大道投蹟長生三山可陟九轉方成靈化人間高翔羽服白蜺擁蓋青虬夾轂丹竈留煙仙壇餘竹貽則終古永播蘭菊

唐昇玄劉先生碑銘并序　馮宿

維皇王能自得師以臻至理維道德克輔於代且非常名天啟聖唐運興我李於赫肇祖實惟玄元高宗振其風於前明皇張其教於後十有三葉天子曰敬宗文武大聖廣孝皇帝弘清靜之旨以

浸天下闔無爲之宗以凝海内寶庥二祀秋八月甲子躬法服御内殿北面執弟子之禮受道於昇玄先生大矣哉斯所以貫三才籠八極澤及中外仁加動植播中和贊恭默昌聖緒垂帝則而已翌日下明詔加先生之號檢校光祿少卿自内道場送歸于玄眞之觀居命兩街之緇黄前馬夾路以引以翼萬衆榮觀以爲崆峒之請瑶池之宴曾莫我若先生姓劉氏諱從政生於河南緱氏家世奉道彰于前朝而先生超然蹤如角立秀出志學之歲辭親就師視冠冕若桎梏顧聲名猶涕唾夫其洞達懸解知來藏往體於虚而觀其妙守其樸而反於機猶是採氣于三清吸精于兩曜和光於萬有委蛻于重玄始事河内張君通玄次師中岳邢君歸一二君之傳授眞筌祕訣色授神與而上至于東晉楊君凡十四世其實若關鍵之固鉤鎖之密莫得而窺至是而悉歸我焉宜其當玄門之尊以師道自處先生棲于王屋不窋一紀其後受請遷居都下又承詔至于京師化隨躬行名出心隱故傳法紫宸之後竟遂東還今上端穆清之居緬汾水之想將召舊德而咨要道吾師知之私於門人韓貞灌曰吾將解去先告之期蓋大和四年其月林鍾其日癸亥其春秋七十有八也嗚呼蘭薰膏明以自迫鶴駕霓旌而難駐貞灌與東夏弟子若干人及關中弟子葉守中等若干人以爲吾師之不可攀援者眞氣粹容至如章施紀述追琢琰琬使將來鑽之仰之而不怠宜在乎文憑文以導心因心以成志謂衜嘗奉几杖熟遊牆藩俾爲銘而揭焉且慰夫餐霞遁俗者之懷煌煌二都各樹其一其辭曰

内天外人葆和嗇神道之宗兮乘飈駕欻無象有物玄之功兮我后敬皇灼其耿光慕崆峒兮吾師昇玄法於自然繫喬松兮洪惟武文懿此正眞紹先風兮金闕玉堂靈符寶章閟中宫兮出自幽谷賓于黄屋翊九重兮開陽闔陰忘形守心沃宸聰兮出日入月騰淩滅沒靡不通兮脫俗遁代幷包覆載皆可容兮控鶴轡龍倘佯高空躡前蹤兮捐巧棄智挈誠去僞順至公兮戴君奉親後己

先人福乃鍾兮洛都應召京邑承詔隨西東兮泊然泉渟油然雲行忞所從兮從之在勤道將自親滋益恭兮爲而不殆績用斯倍吉以逢兮法施經流通明達幽播無窮兮功滿行圓解形默然示有終兮谷神不死蟬蛻而已何哀恫兮鳩血誠而圖石刻者伊貞灌與守中兮

文粹卷第六十五

先人瀨乃錮兮容都應召元邑承韻隨西東兮泊然與淖油然雲
行道所從兮從之往動道將自總滋流林兮為而不治續用斯信
吉以運兮流滋流通明達兩撤無窮兮功滿行圓彌形獸盜示
育終兮介而不死蟬蛻而已何疑恫兮鳴而飄而圖石刻者伊貞
淮與守中兮

文粹卷第六十五

文粹卷弟六十六　　　　吳興　姚鉉　纂

銘一　總一十首

名跡

塗山銘 并序　　柳宗元

維夏后氏建大功定大位立大政勤勞萬邦和寍四極威懷九有儀刑後王當乎洪流方割災被下土自壺口而導百川大功建焉虞帝耄期順承天厤自南河而受四海大位定焉萬國既同宣省風教自塗山而會諸侯大政立焉功莫崇乎禦大災乃錫玄圭以承帝命位莫崇乎執大象乃輯五瑞以建皇極政莫先乎齊大統乃朝玉帛以混經制是所以承唐虞之後垂子孫之丕業立商周之前樹帝王之洪範者也嗚呼天地之道尚德而右功帝王之政崇德而賞功故堯舜至德而位不及嗣湯武大功而祚延于世有夏德配於二聖而唐虞讓功焉功冠於三代而商周讓德焉宜乎立極垂統貽于後裔當位作聖著爲世準則塗山者功之所由定德之所由濟政之所由立有天下者宜取於此追惟大號既發華蓋既狩方岳列位奔走來同山川守臣莫敢遑寍羽旄四合衣裳咸會虔恭就列俯僂聽命然後示之以禮樂和氣周洽申之以德

刑天威振耀制立謨訓宜在長久厥後啟征有扈而夏德始衰羿距太康而帝業不守皇祖之訓不由也人亡政墜卒就陵替向使繼代守文之君又能紹其功德脩其政統卑宮室惡衣服拜昌言平均賦入制定朝會則諸侯常至而天命不去矣茲山之會安得獨光於後歟是以周穆遐追遺法復會於是山聲垂天下亦紹前軌用此道也故余爲之銘庶後代朝諸侯制天下者仰則於此其辭曰

惟禹體道功厚德茂會朝侯衛統一憲度省方宣教化制殊類咸會壇位承奉儀矩禮具樂備德容旣孚乃舉明刑以彰聖謨則戮防風遺骨專車克威克明疇敢以渝宜昭黎獻底定寰區傳祚後肖丕承帝圖塗山巖巖界彼東國惟禹之德配天無極卽山刊碑貽後作則

仙掌銘 并序

獨孤及

陰陽開闔元氣變化泄爲百川凝爲崇山山川之作與天地並疑有眞宰而未知尸其功者有若巨靈贔屭攘臂其間左排首陽右拓太華絶地軸使中裂拆山脊爲兩道然後導河而東俾無有害留此巨跡於峰之巓後代揭厲於玄蹤者聆其風而駭之或謂詼詭不經存而不議及以爲學者總其一域則惑於餘方曾不知創宇宙作萬象月而日之星而辰之使輪轉環遶箭馳風疾可駭於俗有甚於此者徒觀其陰騭無朕未嘗駭焉而巨靈特以有跡駭世世果惑矣天地有官陰陽有藏鍛鍊六氣作爲萬形形有不遂其性氣有不達於物則造物者取元精之和合而散之財而成之如埏埴鑪錘之爲瓶爲缶爲鈞爲棘規者矩者大者細者然則黃河華嶽之在六合猶陶冶之有瓶缶鈞棘也巨靈之作於自然蓋萬化之一工也天機冥動而聖功啟元精密感而外物應故有無跡之跡介于石焉可以見神行無方妙用不測彼管窺者方循跡而求之揣其所至於巨細之境則道斯遠矣夫以手執大象力持化權指撝太極蹴蹋顥氣立于無間行乎無窮則捩長河如措杯

擘太華若破塊不足駭也世人方以禹鑿龍門而導西河爲神奇可不謂大哀乎峩峩靈掌纖指如畫隱轔磅礴上揮太清遠而視之如欲捫青天而擲皓露攀扶桑而捧白日不去不來若飛若動非至神曷以至此唐興百三十有八載余尉于華陰華人以爲紀嶮巇勒之衆頌嶧山銘燕然舊典也玄聖巨跡豈帝者巡省伐國之不若歟其古之闕文以俟知言歟仰之歎之斐然琢石爲志其詞曰

天作高山設險西方至精未分川壅而傷帝命巨靈經啟地脈乃眷斯顧高掌遠跖砉如剖竹驍若裂帛川開山破天動地坼黄河太華自此而闢神返虛極跡挂石壁跡豈我名神非我靈變化翕忽希夷杳冥道本不生化亦無形天何言哉山川以寧斷鼇補天世未覩焉夸父愚公莫知其蹤屹彼靈掌懸諸龍從介二大都亭亭高聳霞艴煙噴雲抱花捧百神依憑萬峰朝拱長於上古以閱羣動下視衆山蜉蝣蠛蠓彼邦人士永揖遺烈瞻之在前如揭日月三川有竭此掌不滅

古函谷關銘 并序

王者建邦經野觀象立極於是有重門擊柝以待暴客故封略土宇守在關塞山川邱陵爲之城池天作崤函俾屏京室崇山迴合連岡叢倚長河屈盤萬里來東崖奔嶺蹙谷抱谿闞崛起重險爲秦東門截函夏於閫閾鍵天府於戶牖外扼八州之咽喉故百二形爲內擁六合之奧區故霸王出焉當其中原鹿駭戰國蝟起嬴氏建瓴山東捭肉宇內持戟百萬連衡此關是時也開門而九國師遁振策而二周鼎入奄有大寶遂吞中區洎江返秦璧天祐漢祚高皇帝提劍而起以遏亂略斬白帝紲降王舉漢中平咸陽廓金城以建都活萬姓以三章取威定功此爲是保粤若詢事國牒聆風仙籙則眞氣靈蹤起乎其中柱史一去流沙萬里留玉函於舊宅傳寶圖於本枝豈上帝乃眷興王是感不然何錫羨開國如此其大歲在大火余適下陽停驂塞門憑覽舊國襟帶如故世道

不留秦餘空山漢遺茂草恐復舟失於壑岸化爲谷萬載之後昧者不知乃刻頌此石以示來裔其辭曰

天地雷雨英雄交爭設險守國作藩于京姓易時移山空塞平千秋陵谷想見精靈仙駕長往雄圖杳冥于以志之勒銘巖扃

虎牢關銘 并序

賈至

天地定位三川據其極王侯設險虎牢擁其要扼之以五岳維嵩崒焉迫之以四瀆洪河突焉宜其咽喉九州闔域中夏贊經綸之攻拒卻欃槍之淩暴若乃金火代變山河分裂觽從力爭義散約解時則漢祖守之以臨山東坐清三齊彊楚躑躅而不進隋氏失馭中原版蕩封豕薦食龍戰玄黃時則太宗據之以拒河朔克擒醜夏僞鄭袒縛而請命於戲自周室微弱虎狼幷吞盛衰千祀正閏更王而政和民安一統長久漢氏昭於前載我唐光於茲日其創業之主戡定功業咸在斯地意者天開險固爲霸王之器乎聖作功業知窅冥之意乎不然何玄期時事影響之若此也又聞諸鄭志曰制巖邑也虢叔死焉而唐漢紹興得非山靈河神正直是輔乃知英雄者不獨恃險而顛沛者在於涼德歟天寶七載至自宋都西經洛陽歇鞍登茲懷古欽望鑒山河之壯麗想威靈而咫尺慨然有懷敢獻頌曰

邈矣維嵩峻極于天磅礴崔嵬北臨洪川嶽瀆會險蹙圻封泉實開虎牢作固伊瀍維茲虎牢天設巨防攻在坤下拒在離旁昏恃以滅聖憑而王崢嶸豁呀孟門相向伊昔漢祖戡秦統周勍敵相及此焉淹留終東海表遂割洪溝乘釁而東奄有九州隋氏敗績黎人艱阻帝命太宗陳師鞠旅鐵騎傳傳雲旗容與擒夏克鄭在此一舉日月永清昆蟲得所歲在戊子西經登茲祇聖肅然憫亡悽其號叔返道復隍熸師項氏烹苛莫能守之險易同途成敗異時德不在鼎王孫布詞三苗不循魏武忸怩逆失順獲古今同期申鑒勒銘庶警將來

棧道銘 并序

歐陽詹

秦之坤蜀之艮連高夾深九州之險也陰谿窮谷萬仞直下奔崖峭壁千里無土亙隔呀絕巉巉冥冥麋鹿無蹊猨猱相望三代而往蹶足莫之能越秦雖有心蜀雖有情五萬年閒敻不相接且秦之與蜀也人一其性物同所宜嗜欲無餘門教化無餘源可貿遷可親昵擘坼地脈睽離物理豈造化之意乎天實凝清而成地實凝濁而形當其凝也如鎔金下鑄騰雲上浮空隙有所不開迴翔有所不合澄結既定竅缺生乎其中西南有漏天天之竅缺也于斯有茲地地之竅缺也天地也者將以上覆下燾含蓄萬靈可通必使而通者也苟有可通而未通則聖賢代其工而通之故有爲舟以濟川爲梯以踰山惟茲地有川不可以舟涉有山不可以梯及粵有智慮以全玄造立巨衡而舉追氏縋懸纑以下梓人猨垂絕冥鳥傍危岑鑿積石以全力梁半空於木柵斜根玉壘旁綴青泥截斷岸以虹橋繞翠屏而龍蹺堅勁膠固雲橫砥平總庸蜀之通途統岐雍之康莊都邑之能步山川之無脛若水決防如鴻嚮陽南之北之踵武湯湯躋峩峩以自若臨蒼蒼而不懼繇是贊幣以遙達人神以會同稽禮樂之短長量威力之汙隆可王者王可公者公而相吹以風或曰受琢之石長存可構之材無窮易刓代蠹斯道也未始有終嗚呼爲上懷來在乎德爲下昭德在乎義德義之如今日則或人之言有乎其反之則石雖存恐不爲琢材雖多恐不爲構想夫往昔有時而有有時而無是用惕惕天下蚩蚩知聖賢創物之意之人寡明德義固物之道之人稀敢陳兩端之要銘諸斯道之左庶主德義者存今日之所履踵武湯者荷古人之攸作銘曰

天覆地燾本亦備設大象難全或漏或缺損多益寡聖賢代工彼雖有缺與無缺同惟北曰秦維南則蜀地缺其開坤維不續斗起斷岸屹爲兩區秦人路絕蜀火煙孤天實不通賢斯有造鑽堅剗勁無蹊以道若川匪舟若陸非車緣危轉虛步驟交如構雖在功存亦由德項佛劉怒旋見以踣隋落我營自顛而植地非革勢材

不易林踣植之致惠怨之心勿謂斯道不恆勿謂斯道可久禮不以禮可有而無恭不以恭可無而有創之之意如彼固之之理若玆彼知不易玆而易知勒銘道左其同我思

仙都山銘　張鷟

仙都有山山出萬山直上千尋入煙霞深圓如筍抽高突雲陰標表下國權輿象帝日歟月歟萬有千歲東西大鎮川澤四衛造化無言莫知往制晴嵐依依宿霧洞開髣髴有像神仙下來顥氣氤氳靈鳥環迴永殊塵雜不鼓纖埃絕頂霄崿澄湖在上人罕戾止孰闚其狀日燭雲披風飄液飛如雨雨空微灑霑衣谷來松音潭影曙暉往往鶴唳不知所歸唐垂百年玄宗體元饗應萬歲聲聞上天帝祚明德祠堂在焉永懷軒后功成此地丹竈猶存龍昇萬里事列方誌道高青史無復仙容空流谿水百越之內此山爲大恍若壺中疑生象外直而不倚高而不殆古往今來獨立滄海

磻谿銘 并序　梁肅

陰陽和而萬物生聖賢合而天下平和者時也合者運也在昔堯舜合禹抑洪水而天下平者四百年湯合伊尹革桀鶩而天下平者六百年文武合太公一戎衣而天下平者八百年與夫風雨寒暑五行四時佐天生物一也天之數不可以不變時則有懷山襄陵浩浩滔天之災君之運不可以不極時則有作威殺戮毒痡四海之變變則通時則有四載之庸極則反時則有放伐之功於戲惟尙父鍾其運而遇其主躡其機而作其合者歟于後伯陽不顯仲尼旅人其不合者歟故曰君子得其時則大行不得其時則龍蟠也嘉尙父之動靜不失其時作磻谿銘曰

至人無心與道出處處則土木出則雷雨惟殷道絕粤有尙父爰宅于幽盤桓草莽天地闔闢陰陽運行明極而昏昏極而明遇主水濱謨泰八紘牧野桓桓一麾而平惟彼日月得天而光惟彼聖賢得時而彰獨夫昏迷我乃豹藏文武作周我乃鷹揚故曰大道無體大人無方運用變通至虛而常作銘磻谿今古茫茫

胥山祠銘 并序　盧元輔

元和十年冬十月朝散大夫使持節杭州諸軍事杭州刺史上柱國盧元輔視事三歲塵天子書上畏羣靈下慙烝人乃啟忠祠銘而序曰維唐敷祀典于天下廢淫罝明資父事君罔有不舉寢廟既設我命厥新有周行人伍公字子胥陪吳之職得死直言國人求忠者之屍禱水星之舍將瞰鴟革遂臨浙江千五百年廟貌不改漢史遷曰胥山今云青山者繆也吁善父爲孝記曰父讐不與共戴天諫君爲忠經曰諸侯有諍臣不失國當杌于宋鄭絕楚出疆在平爲未官臣在奢爲既壯子坎壈伏節乞師於吳軍鼓丁寧五戰至郢先喆王建邦啟土著以詁言戴后惟人人虐惟后成湯用爲大義孔子立爲大經子胥修爲大仇騷人賦爲大怨咸令在上慢惡不生則前戈鞭墓非倒行也後戈走昭非逆施也夫差既王宰嚭受賂二十年內越祀又顚太伯廟血將乾闔閭劍光且失公朝則宴焉入則諫焉孰謂矢毒孰謂刀寒雖言屢出口而車甲已困於齊矣蟹稻已奪於歲矣屬鏤之賜竟及其身鴟夷盛屍投于水濱憤悱鼓怒配濤作神其神迄今一日再至來也海鴟羣飛陽侯夾從聲遠而近聲近而遠奮于吳怫于越夕于楚乃退於是仲秋闞望杭人以旗鼓迓之笳簫和之百城聚觀大耀威靈卷沙壘裂地灰截若岸坼成坑迎潮民格之如呂梁丈人爲靈戈威矛激浪百重渚塞不先跳檣揭舷再飯之閒絕其音聲蕩滌千里洪波砥平有滑有腯有鹹有腥遙實乎下庭山海梯航雞林扶桑交臂于卯階金狄在戶雷鼓在堂魏尊漢豆六代笙簧可謂奉天爵之馨香獲人神之盛禮佐皇震怒驅叱大邪萬里永清人觀斗氣

銘曰

武王鉞紂子胥鞭平爲人爲父十死一生矯矯伍員執弓挾矢杖其寶劍以謁吳子稽首楚罪皆中紂埋蒸報子妻殲鉏直士赫赫王闔實聽奇謨錫之金鼓以號以誅黃旗大舉右廣皆朱戮墓非赭瞻昭乃烏後王嗣立執書不泣顚越言潤宰嚭讒輯步光欲飛

姑蘇待執吾則切諫抉眼不入投于河上自統波濤晝夜兩至懷沙類騷洗滌南北鍰蕩東西夷蠻卉服罔敢不來雖非命祀不讓瀆齊帝帝王王代代明明表我忠哉

天門山銘　李白

梁山博望關扃楚濱夾據洪流實爲吳津兩坐錯落如鯨張鱗惟海有若惟川有神牛渚怪物目圍車輪光射島嶼氣淩星辰卷沙揚濤溺馬殺人國泰呈瑞時謫返珍開則九江納錫閉則五嶽飛塵天險之地無德匪親

湞陽果業寺開東嶺洞谷銘 并序　元傑

陰陽精氣結爲山嶽者則爲勝爲異爲奥爲閟故萬嶺交峙而嵩華辨其方羣岳敷靈而瀛壺拔其類是知仙居靈宅其必有黨乎鳴弦之北趾果業之東阜高不百仞廣纔千畝層巖石室幽谷靈洞殊境異觀秀絕奇偉雖瀑流之下鑪峰懸磴之蹟丹嶠路遠莫覯余不知其倫擬焉桉寺記云昔有方士于是山鍊金變形羽服

登仙故石座丹竈至今存焉觀其東嶺削成石瑩如玉岡巒峭竦巖壁重複捫蘿而昇如造雲根縹眇嬋娟似霞衣可攀眞氣勝而塵累捐五蓋破而清機開蕩然放懷如羽翼之已生赤城之可接噫境變志遷若符契之協從也下臨長川澄波吐瀾煙霞夕收飛鳥不喧杳溯逶迤流注無間西直巨壑連嶂如屏林靄朝翠巖光晝清篠簜藏輝杉松下冥虛廓寂寥涵風有聲緣嶺未極劃開洞門巑容崢嶸詭狀輪囷疑伏龍怪鎭含煙雲又有古木倒傍絕壁盤根綢結挂絡空碧崩崖旁傾猨逕下仄羽人幽會此焉瑤席搏翠壁而直上軋崎嶇於紫氛雙巖屹以中斷奔屏蹙而成室涵孕精爽澄凝氣源信列仙之攸居豈塵俗之所止哉嗚呼鶴駕一去鳳簫響絕荆榛蔽路危磴敗滅跡留人境而舉世莫知地聯精剎而羣遊莫至吁可怪乎其晦藏也元和丙申歲秋八月余以膠鬲之困寓居精舍再從兄昭肅時假茲邑政便於人務簡多暇與當寺僧知捷日探道源捷亦好古饕奇之士也因語故實緬思羽客

之玄風以爲靈跡神蹤精誠必復乃操刃持畚履險通幽梯絕棧而歷巉巖排蒙籠而登杳藹時更不稔而神居祕躅粲然皆睹嗟乎芝田玄圃豈遠乎哉天之與人氣通則合客有顧咨而諗予者或應之曰天之運否泰相濟故善利稱德下民昏墊人之道行藏有數故棘津蓬累時惟鷹揚靈物必通道在斯著不然何荒阻千祀勃焉而興歟乃爲銘曰

鑿石通道兮援木枝仰攀洞口兮踐攲危奔龍伏虎兮勢狀奇林攢峰倚兮蟠雲螭下臨陰谷兮神以慄嵌巖巖兮洞無極老松蕭瑟兮生遠風興雲霈霈兮煙霧黑懸巖排空兮色噴黛堅根網絡兮層霄外披霓解帶兮羽翼生下眺遙江兮入青靄世道紛綸兮何足謂朝爲榮華兮夕顛顇不如幽谷兮閱仙經冀接浮邱兮整煙轡我窺丹竈兮坐山腹眾峰參差兮隱雲族鑿仙嶺兮望瑤臺朝霞照海兮錦綺開信赤松之所昇降王喬之所往來道或用晦兮靈物斯潛殷道未昌兮說築傅巖紛予感此兮勒銘雲根山既不朽兮與名長存

文粹卷第六十六

[illegible]

兮靈物所諧故道未昌[illegible]

不朽兮與天長存

文粹卷第八十六

文粹卷第六十七　吳興　姚鉉　纂

昭夷子趙氏碣頌并序　陳子昂

昭夷子諱元亮字貞固汲人也本居河間代爲大儒至祖掞尤博

雅耽道隋徵八學士與同郡劉焯俱至京師補黎陽郡長始居汲焉有二子禮興禮輶興官至臨潁縣丞輶爲校書郎並著名當代昭夷即禮興之季子也元精沖懿有英雄之姿學不常師志在遐遠年二十七褐衣遊洛陽天下名流翕然宗仰羣蒙以初筮求我昭夷以玄轂發機故蓬居窮巷軒冕結轍時代議迫阨不容其高乃屈身泥蟠求祿下位爲幽州宜祿縣尉到職逾歲默然無言唯採藥彈琴詠堯舜而已州將郡守穆然承風君之道標浩如也因巡田入隴山見烏支丹穴密有潛遁之意蒼龍丙申歲在大梁遭命不造發痟疾而卒年三十九嗚呼哀哉天下士友聞之知與不知莫不爲之垂涕蓋傷其有濟時之量而無長駐之年夫上德道全器無不順中庸以降才則好偏有張也之莊無展也之道好由也之勇緬回也之仁侈宰予之言遺澹臺之行務端木之智忘甯武之愚或正而不奇或達而過雜君獨五味足六氣和通衆賢之不兼暢羣才之大適雖不至於道其殆庶幾乎故時無間言物飽

其義吾常論人事有十君得其九一不至者命矣夫於戲名聞天下而不達於堂上智周萬物而不適乎一人其時歟其事歟君故人雲居沙門釋法成嵩山道士河內司馬子微終南山人范陽盧藏用御史中丞鉅鹿魏元忠監察御史吳郡陸餘慶秦州長史平昌孟詵雍州司功太原王適洛州參軍西河宋之問安定主簿博陵崔璩咸痛君中夭鼎餁不實百代祀德故老或云以爲名者德之表謚者行之迹君囊括代道位屯時艱困乎[illegible][illegible]光景不曜乃共稽隱舊行考謚定名問于元著象曰明夷子昭夷昔歎曰才位不兼大運有數嘗哀時命而作頌云諸公以予從君之遊最久故秉翰參議其頌曰

天道玄運兮物各有時匪時不生匪運不成昔者元精汨濁陽九滔災大人感生堯禹恢能陰陽既和玄帝傳家五百數終桀驁暴邪子乙提運水火革明匪賢不昌尹乃阿衡六百運徂受始淫狂西伯考元厤在聖昌匪雄不決匪謀不臧姜牙皓眉實逢其良投

劒指麾奄有八荒周有天下七百餘年太公之後不聞大賢豈無仲尼負道周旋無勢一掔無土一廛然則大運之所來時哉時哉隘業隘運巨功巨德苟非其時卓木爲伍昭夷作頌云云又嘗著汲人墓記言變化之事且曰請爾靈龜永宴息乎浩初

東明張先生墓銘 并序　柳宗元

東明先生張氏曰因嘗有以文薦於天子天子策試甚高以爲長安尉一年投去印綬願爲黃老術詔許之居東明觀三十餘年受畢法道行峻異得眾眞祕書訣籙聚經籍圖史侔於麟閣以弟囘降秋封州先生曰吾老矣支體不可解也遂從以去明年囘之子襲死哭之慟遂病既亟以命囘曰吾生天寶訖貞元巳酉歲十月今死于汝之手盈吾志矣京師吾生也畢原先人之歸也必以返葬乃自爲誌而卒明年正月某日葬如其言弟子某等爲碑以志于墓辭曰

匪祿而康匪爵而榮漠焉以虛充焉以盈言而不爲華光而不爲榮（校榮字重叶疑誤）名介絜而周流道包涵而清寍幽觀其形與化相冥寂寞以成其道是以忽嬰世皆狂狂奔利死名我獨浩浩端一以生或曰先生友悌以遁慈幼以死若不能忘情者何也吾曰道去友邪去慈邪從容以求其得之邪盪莽狠倖道之非邪且夫虧恩壞禮枯槁顚頓隳聖圖壽離中就異歘然與神鬼爲偶頑然以木石爲類空侗而不實窮老而無死先生之道固知異夫此也乃書于石以紀

文貞公笏銘 并序　孫樵

大中六年詔出文貞公笏歸其孫丞相暮孫樵請銘其笏曰

靈豸薦角比干獻骨合以憤烈在公爲笏怒虎可唾笏不可挫太華可裂笏不可折柱天不仄指日不蝕標儀條臆起梗開直噫諫舌切切上磨帝鈇不逆不怫笏則公笏緊（校緊字疑誤）拱折列諍舌不發膠榮顧餗下偷上愎非公之節孰爲公笏

壽州安豐縣孝門銘 并壽州刺史表　柳宗元

懿厥孝思茲惟淑靈稟承粹和篤守天經泣侍羸疾默禱隱冥引刃自剺殘肌敗形羞膳奉進憂勞孝誠惟時高高曾不是聽創鉅痛仍號于穹旻捧土濡涕頓首成墳陷膺腐胔（背一作）寒暑在廬草木悴死鳥獸踟躕殊類異族亦相其哀肇有二位孝道爰興克脩厥猷載籍是登在帝有虞以孝烝烝仲尼述經以教于曾惟昔曾侯見命夷宮亦有考叔悟莊稱純顯顯李氏實與之倫哀嗟道路涕慕里鄰邦伯章奏稽首盤懇上動帝心旁達明神神錫祕祉三秀靈泉帝命薦嘉亦表其門統合上下交贊天人建此碑號億齡揚芬

壽州刺史臣承思言九月丁亥安豐縣令臣某上所部編戶甿李興父被惡疾歲月就亟興自刃股肉假託饋獻其父老病已不能啖啜經宿而死興號呼撫臆口鼻垂血捧土就墳露漬涕洟遂於墳左作小廬蒙以苫茨伏匿其中扶服頓踴晝夜哭訴孝誠幽達神爲見異廬上產紫芝白芝二本各長一寸廬中醴泉涌出奇形瑞狀應驗圖記此皆陛下孝理神化陰中其心而克致斯事謹桉興匹庶賤陋循習淺下性非文字所導生與耒耨爲業而能鍾彼醇孝超出古烈天意神道猶錫瑞物以表殊異伏惟陛下有唐堯如天如神之德宜加旌褒合于上下請表其里閭刻石明白宣延風美觀示後祀永永無極臣昧死上請

佷石銘　皇甫湜

佷石蒼蒼驪山之傍鑱朴礲瘢嶷然四方昔秦皇帝謀之不臧七十萬人茲焉惶惶發石此山言礎於墳若有憑依屹住中逵淫刑蹙迫人力無施故老相傳以佷名之自昔太古不封不樹有葛於溝有薪於野後聖有作緣情不忍爲之棺槨其在唐虞則維窾木噫嘻暴秦虐用其人墳而象山下錮三泉窮珍總奇力瘁財殫驅驅而前如刈草菅天毒其衷神憤其凶謫戍一呼九州風從白梃棘荆指麾崤潼險阻不閡干戈倒鋒屍露于劫燧燔于童蓬顆無依不十年中禹葬會稽不改其行聖德洋洋厥響久長至于漢劉

釋之有言中如可欲猶隙南山剝私其身以盡其人刻詞很石炯戒千春

銘秦坑　　司空圖

秦術戾儒厥民斯酷秦儒既坑厥祀隨覆天復儒讐儒絕而家秦坑儒邪儒坑秦邪

洪州大雲寺鐘銘　　獨孤及

參變化孕律呂和神人莫疾於聲故天地以雷震萬物聖人以樂節八風佛土以鐘警六時天造聖作同符異貫自眞乘開設其輪三轉像教不墜而法鼓之制存焉彤彤蓮宮于江之濱萬井在其前善惡興乎人將欲誕敷我法音啟迪我善根我是以作萬鈞之鐘大其器所以昭其度也侯誰尸之長者杜海泊此方上士釋法觀釋法鸞與比邱衆百三十有五人寶果其願將辦所作于時火官金工循厥戒令範陰陽九六之數以合造化均薄厚侈弇之齊以諧清濁聚精會神鳩工於其閒弘誓既達昏疑皆破故衆心如城施者成市大悲之感與萬靈接祝融回祿翕歘交應越五月辛丑新鐘成於是此邦民大和會膜拜縱觀川塞衢溢億兆諦聽鯨魚乃發訇然如扶搖號而萬竅怒霹靂作而崇山破在坑滿坑在谷滿谷金界穸窖若震若盪既而㧍怒散渙與迴飆俱激度越大千周流六虛經于嚴城入于梵宮徘徊乎霜天淩厲乎清夜千門徹萬戶警魚龍皆奮蟲豸不蟄於是聆其音者貪騃遷善聾盲知方識淚安流地獄清凉吒王解形刀輪摧藏叢乎心者聞聲以知受觀受以悟法若露清耳根鏡照身業彼金鼓聲氣木鐸徇路整衆孚號方斯陋矣蓋聖人弘道以勸善因善以建法作法器以爲天下利利者教之果法者教之因善者教之宗也銘曰

我鐘乃懸是訓是崇世界有極大音無窮

鹿泉本願寺銅鐘銘

八音之列數者金爲長金聲之動物者鐘爲大相彼創制本乎無心隨輕重之所考遇洪纖而必應其體妙乎其幾神乎故帝庭用

之以和樂梵宇作之而助道其有旨哉伊本願道場昔鬼土所卜卽輪王建塔之地有隋氏因而緝焉皇唐統天增壯厥構雖臺殿有赫而鐘簴未雄曰都維那某等顯允令德鬱爲紀綱洞三學之奧府張二嚴之巨翼以爲是聲聞則有以敷衆美不則無以徧十方乃同寅叶恭倡議改作我心匪石彼應如雲緇流輔仁而或勤或懋清信委施而爲岡爲陵於是乎遠貿精金博召良冶鳧氏宰陶人翼鎔範脩林樸植火正叱咤以啟號風師闐怒而陳力巨扇咆哮洪鑪赫曦焮奪清夜光連紫微旁通竇以決注下潛成於數圜察夫陰未凝陽爲烈爌爆泉沸氣憤雲洩旣旬而後實旣堅而後發轉於隧漸於堂混乎其輪圓洞然而博暢仙獸勒於下驪龍踏於上蓄精誠含寥亮乃神工之旣濟而寶器之大壯也且夫作有度而體有經侈弇均厚薄中則不播不石不鬱不柞雖鴻音未揚識者已知其妙矣故緇衆咸躍善願克充而縣之衣冠里之髦彥聚舍珍翫翕營層臺峻嶒百常沆瀣一色然後插雲柱倚天梯駢轆轤縮脩索攢勵力以下拔軋豐容而上昇雄以筍鱗顛以交扛猛以簴權作以離立大器斯屬洪椎乃鏗威音潼溶而一吼虓響宏業乎三界上極有頂下彌空輪飛行天仙海陸神識莫不警革塵滯褰開冥蒙滌曠劫之瑕滅長夜之苦使浩福潛潤冥機坐融其諸佛神通之用乎不然者千鈞之聲一杵之播則曷以臻於是矣允釐僧務本三勢而克終式遏劒輪後四爰而長擊故初起細而促漸登鍠以舒旣鋭而入微又增而復壯於是壯也乃而畢爲（按乃而畢爲四字疑誤）若是者何皆皇覺啟導抑揚之深思也實欲普其念周乎仁張皇慈音引曳悲韻使萬物咸若六時登聞不惕不惶以安以樂或謂霆鬭雷裂山傾河洩靈祇殲走猛毅僵蹷皆恐怖殺傷之事我大雄氏慈制又悲乎然哉若乃顒顒聖賢翼翼龍象以之懺薩以之引宣微妙其心精進厥德有秩有序不差不忒住持我像教洋溢我玄風洞達我幽明清寧我邦國神之不可以已其在茲乎皇唐十有八年春仲月八日是鐘也旣成卽其秋孟月

上弦茲臺也復構他方聖衆咸飛來而讚揚地中菩薩咸踊出而瞻仰於是陳巨會以落之張梵樂以考之煌煌乎休哉越寶庭之能事畢矣而宏範莫紀又八稔於斯河南史凜然文林之秀也尉于右邑攝茲銅章惠化一清於灌壇希聲重美於洪器命我昭述式副羣心之望焉而主簿弘農楊量新尉楊先朝等並高幹才敏力懋於道勉奉天秩允恭仁祠輔營樂石贊就厥美雖默者果得不言乎銘曰

靈鍾上空儀法天體道內虛含至圓雄威蓄毓時乃宣震擊鏗鍠流大千十萬調御及聖賢應我眞聲開梵筵一切苦輪悲熾然聞我眞聲咸息肩虛空有盡福無邊神用廣大莫與先

化城寺大鐘銘 并序

李白

噫天以震雷鼓羣動佛以鴻鐘警大夢而能發揮沈潛開覺茫蠢則鐘之取象其義博哉夫揚音大千所以清眞心警俗慮協響廣樂所以達元氣彰天聲銘勳皇宮所以旌豐功昭茂德莫不配美

金鼎增輝寶坊仍事作制豈徒然也粵有唐宣城郡當塗縣化城寺大鐘者量函千鈞聲盈萬壑按此四字本集敚蓋邑宰李公之所鄉也公名有則系玄元之英蕤茂列聖之天枝生于公族貴而秀出少蘊才略壯而有成西逾流沙立功絕域帝疇乎厥庸始學古從政歷宰潔白聲聞于天天書褒之榮輝簡牘稽首三復子孫其傳天寶之初鳴琴此邦不言而理日計之無近功歲計之有大利物不知化潛臻小康神明其道越不可尚方入于禪關觀天宮崢嶸聞鐘聲瑣屑乃謂諸龍象曰曷不建大法鼓樹之層臺使羣聾六時有所歸仰不亦美乎於是發一言以先覺舉百里而咸應秋豪不挫人多子來銅崇朝而山積工不日而雲會乃采鳧氏撰鴻鐘火天地之鑪扇陰陽之炭同祿奮怒蜚廉震驚金精轉涾以融焰銅液星熒而熣燦光噴日道氣蔽天維紅雲點於太清紫煙矗於遙海烜爀宇宙功侔鬼神瑩而察之吁可駭也爾其龍質炳發虎形躨跜縻金索以上絙懸寶欉而迭擊旁振萬壑高聞九天聲動山

以隱隱響奔電而闐闐赦湯鑊於幽途息劒輪於苦海景福肸蠁被于人天非李公好謀而成弘濟羣有又孰能與於此乎丞尉等並衣冠之軀龍人物之標準大雅君子同僚盡心聞善賈勇贊成厥美寺主昇朝開心古容英骨秀氣灑落豪素謙柔笑言海受水而皆納鏡無形而不燭直道妙用乃如是言然常虛懷忘情潔已利物是人行空寂不動見如來有若上座靈隱都維那則舒名僧日暉蘊虛常因調護賢哉六開士普聞八萬法深入禪惠精修律儀將博我以文章求我以述作功德大海酌而難名遂與六曹豪吏姑孰賢老乃緇乃黃皃趨梵庭請揚宰君之鴻美白昔忝侍從備于詞臣恭承德音敢闕清風之誦其詞曰

雄雄鴻鐘砰隱天雷鼓霆擊警大千含號烜爀聲無邊推慴魑魅招靈仙旁極六道下九泉劒輪輟苦期息肩湯鑊猛火停熾然愷悌賢宰人父母興功利物信可久傳芳金鐘永不朽

溫州仙巖寺銘　司空圖

巖之巔森戟鑱天中宅靈儺瀑之作風斡洞壑地洶山鑿越之裔甌之隅人逸而腴某其師某其牧寺圯而復

石橋銘并序　張嘉貞

趙郡洨河石橋隋匠李春之迹也製造奇特人不知其所以爲試觀乎用石之妙楞平碪斵方版促郁緻穹隆崇豁然無楹吁可怪也又詳乎叉插駢坒磨礱緻密甃百象一仍餬灰璺腰纖栓（一作鎖鐵）蹙兩涯嵌四穴蓋以殺怒水之蕩突雖懷山而固護焉非夫深智遠慮莫能𠜱是其欄檻華柱鎚斲龍獸之狀蟠繞拏踞睢盱翕欻若飛若動又足畏乎夫通濟利涉三才一致故辰象昭回天河臨乎析木鬼神幽助海石到乎扶桑亦有停杯渡河羽毛填塞引弓擊水鱗甲攢會者徒聞于耳不覯于目目所覩者工所難者比於是者莫之與京（校全唐文有序無銘）勑河北道推句租庸兼復因使判官衛州司功參軍河東柳渙繼爲銘曰

於繹工妙沖訊靈若架海維河浮黿役鵲伊制或微茲模蓋略析

堅合異超涯截鑿支堂勿動觀龍是躍信梁而奇在啟爲博北走燕薊南馳溫洛騑騑壯轅般般雷薄攜斧拖繡騖驄視鶴藝人倖天財豐頌閣斲輪見嗟錯石惟作並固艮球人斯瞿鄘

石橋銘 并序　張彧

闔茂歲我御史大夫李公晟奉詔總禁戎三萬北定河朔冬十月師次趙郡郡南石橋者天下之雄勝乃揆厥績度厥功皆合于自然包我造化僕散客也狀而銘曰

洨一作汶水伊何諸川互湊秋霖夏潦奔突延袤杍材蕆制樸斲紛糅斡地泉開盤根玉甃虹舒電拖虎步雲構截險橫包乘流迴透抉軋匠造琳琅蔟簉敝作洞門呀爲石竇窮琛莫算盈紀方就力將岸爭勢與空鬬吞齊跨趙警夜防晝月桂虛蟾星羅伏獸謂之鈐鍵攝我宇宙謂之關梁扼我戎寇郡國襟帶河山領袖經途者安逸軌者覆東南一尉西北一候萬里書傳三邊檄奏郵亭控引事物殷富夕發薊壖朝趨禁霤質含冰碧文耀藻繡花影全芳苔痕半舊天啟大壯神功罕究勒銘巨橋敢告豪右

丹崖翁宅銘 并序　元結

零陵瀧下三十里得丹崖翁宅丹崖俗赤石圖曰有唐節者曾爲瀧水令去官家于崖下自稱丹崖翁丹崖湘中水石之異者翁湘中得道之逸者愛其水石爲之作銘銘曰

瀧水未盡瀧山猶峻忽見淵洄丹崖千仞磳磳丹崖其下誰家門前斷船籬上釣車不知幾峰爲其四墉竹幽石磴飛泉戶中怪石臨淵綺競石巔何得石巔翁獨醉眠吾欲與翁東西茅宇飲啄終老翁亦悅許世俗常事阻人心情徘徊崖下遂刻此銘

井銘 并序　柳宗元

始州之人各以罌甀負江水莫克井飲崖岸峻厚旱則水益遠人陟降大艱雨多則塗滑而顛恆惟咨嗟怨惑譌言終不能就元和十一年三月朔命爲井城北隍上未晦果寒食冽而多泉邑人以灌其土堅埴其利悠久其相者浮圖談康諸軍事牙將米景鑿者

蔣晏凡用罰布六千三百役庸三千六大甎千七百其深八尋有二尺銘曰

盈以其神其來不窮惠我後之人噫嘻肯似于政其來日新

梓州兜率寺文冢銘 并序

劉蛻

文冢者長沙劉蛻復愚爲文不忍棄其草聚而封之也蛻愚而不銳於用百工之技天不工蛻也而獨文蛻焉故飲食不忘於文晦冥不忘於文悲戚怨憤疾病嬉游羣居行役未嘗不以文爲懷也適當無事而天下將以文爲號文明代生殖明晦皆效文用故日月星辰文乎旂常昆蟲鳥獸文乎彝器徐方之土文於侯社夏翟之羽文於旌旄登龍於章升玉於藻百工婦人彫篆涂湅以供宗廟祭祀之文豈獨蛻也生知效用不及時文哉然而意常獲助於天而不獲助於人故其雖窮無慽也當勤意之時不敢噓不敢咳不敢唾不敢跛倚者欲躁競忘之於心其祗祗畏畏如臨上帝故有粲如星光如貝氣如蛟宮之水又有黯如屯雲如久陰如枯腐

熬燥之色則有如春陽如華川透透迤迤則有如海運如震怒動蕩怪異夫十爲文不得十如意少如意則豈非天助乎常欲使天下聞之而必行觀之而必蹈散之茫洋以爲道演之浸淫以及物然後爲農文之使風雨以時兵文之使戎虜以順文於野文於市使得其所幽隱之士以出口者使之言材者使之用然而自振者無力終知者甚稀豈非不獲人助乎嗚呼十五年矣實得二千一百八十紙有塗者乙者有注揩者有覆背者有朱墨圍者於是以周易筮之遇復䷗震下坤上之同人䷌離下乾上筮者曰鳴于地中殷殷隆隆七日而復復來而天下昭融乎他日更召龜而合之將聽襲吉卜於火如秦兆惟曰不吉卜於水不成乎河洛兆則亦惟曰不吉卜於木而閎閎土協吉纍纍爲冢則汲之兆乎峭峭爲壁則魯之兆乎且其占曰土之文爲山河爲華英將不崩不竭爲滋味而傳乎結爲邱陵爲其設險乎融爲川瀆率其朝宗乎華爲百穀以絜祭祀之粢盛乎不然使其速腐爲墟壤生芻藁以食牛羊乎化塗

泥爲陶甄以作器乎將塊爲五色而分封茅社乎流於樂爲土鼓爲甶桴以洩其和聲乎夷爲都邑以興宮廟乎坎爲洿池以澤生殖乎祀爲壇竈乎竅爲井墓乎吾皆不得而知也當既不爲吾用唯速化爲百工之用慎無朽爲芝菌以怪人自媚慎無堅爲金鐵以作貨起爭慎無潏爲醴泉以味乎諂口慎無禱爲城社以狐鼠憑妖慎無聳爲良材以雕斲傷性慎無萌爲蘭茝以佩服見爇嗚呼介而爲石使之能言舒而爲蠙使之飲泉既而他年遊魂之未返者亦命巫師以巾三招之號曰在几閤而來歸兮掩爲塵垢在耳目而來歸兮奄視汝醜在口吻而來歸兮譽不汝久噫筆絕之年而麟見祟文其無祟乎含非珠玉斂無裙襦後世詩禮之儒無驚吾之幽墟其冢也在莽蒼之野大塊之邱時在唐大中丁卯而戊辰之季秋銘曰

文乎文乎有鬼神乎風水惟貞將利其子孫乎

文粹卷第六十七

文乎文乎有鬼神乎周水惟貞湖利其子孫乎

文粹卷第六十七

文粹卷第六十八

吳興 姚鉉 纂

銘三 總九首銘陰坿

宰輔

節制

唐丞相逍遙公韋公墓誌銘 并序

張說

唐故中書令逍遙公韋氏諱嗣立字延構京兆杜陵人也受渾元之正性挺生人之秀傑門爲孝悌之府世處台衡之地上林之高標宗臣之首出者也生於秦之清水長於鄭之成皋聰明先覺博古兼覽究蓬山之百氏綜闕里之六藝文而不華實而不滯原夫志在於易行在於禮守槖籥之沖虛播朱弦之愷悌事有則而言

有度神無方而用無體其與人也溫良善誘仁恕多容俾夫頑蔽開哲愎鷙擾從君子進道小人革慮聞者願來見者忘去若膏澤之浸陽和之感萬物不知其化矣及夫覆簣（一作履簣）登朝濫觴宰邑聖朝知其周慎忠肅簡易循良是以綢繆兩禁重疊千里迄踐宰衡終厥有成凡化二邑理七郡三入中書再統兵部選兵吏各兩冬典樞密共五載光弼四主歷政三十有餘其開累有謗及官因勤心苦誠感物化禮讓興於私室刑罰廢於公家衡鏡高懸文武左退日月蝕而更明隨和幽而不昧爾其爲邦設教尊德閑邪身矯首才無我失善若己有風流名教作法垂後訏謨皇極功格天地茫茫蠢蠢既生既遂四夷來王五靈皆至然而外榮中素迹邇心遐杳然朱戶之若喪邈若赤松之可接西宴驪山之谷東息龍池之野擇逍遙而建號列土宇而開社郎明主封立帝（一作帝郎）之謀表高臣之志也公考侍中爲國元輔公兄承慶當代齊名咸以合德繼和金鼎扶陽二相陳氏三君復追美矣侍中前夫人崔氏生黄門而郎世後夫人王氏生公而偏愛公克諧以孝因心則友敬均養之德成無閒之言天下之人比之祥覽惟公德行言語文學政事四者實總而兼之事親養志而能爭居喪過哀而顧禮此又善中之善者也善人天之經也國之寶也道將興廢木鐸之用有時命或推移蒼生之望恆在春秋六十有六遘疾陳郡還醫洛師開元七年九月二日薨于歸德里有詔贈兵部尚書諡曰某（一作孝）禮也明年某月葬於某地有子爭恆濟夬偶然在疚靡所寘哀以某忝縉雲之舊寮沐清風之餘論入難名之閫域窺妙德之形容見託銘誌庶傳精爽至於歷官次序平居事業當見郡府遺愛之碑國史名臣之傳故不存焉銘曰

袞袞仁公抱孝含忠文獻則足高明有融翩飛王佐穆我清風道濟明時心樂幽地辞衣華袞坦然一致逍遙啟封帶礪傳嗣生涯共盡振古其常人秉三德天歸百祥臧孫有後公業不亡

唐丞相太尉房公德銘　李華

玄宗季年逆將持兵天錫房公言正其傾羣凶害直事乃不行虜起幽陵連覆二京帝慈蒸人避狄西蜀爰命監撫理兵北朔登賢爲輔讓子以續公齎册書亦捧瑞玉聖人神聖天地咸若子孝臣忠元踊躍命帥中軍謀殲羿浞人或有言志屈道行公曰不可屈則佞生柄不在公衆昏曈明退師儲宮出守函谷入爲尚書正色諤諤又刺汾澮遽臨彭濮何負而東何負而西公受挫抑邦人悽悽帝懷明德俾我不迷徵拜秋官僉曰休哉薨殂閬中國瘁人哀喬嶽隕蹟輔星昏霾天子洟涕追崇上台巖巖岱宗瞻其峻極赫赫房公尊其盛德昔撫宜春列邦是式建銘江濱以慰南國

唐丞相太尉房公德銘之陰　柳宗元

天子之三公稱公王者之後稱公諸侯之入爲王卿士亦曰公有土封其臣稱之曰公尊其道而師之稱曰公楚之僭凡爲縣者皆曰公古之人通謂年之長老曰公故言三公若周公召公王者之後若宋公爲王卿士若衛武公虢文公鄭桓公其臣稱之則列國皆然師之尊若太公楚爲縣者若葉公白公年之長老若毛公申公涪公而大臣罕能以姓配公者雖僅有之然不能著也唐之大臣以姓配公最著者曰房公公相玄宗有勞于蜀人咸服其節相肅宗作訓于岐人咸尊其道惟正直慈愛以成於德用是進退所居而事理辨所去而人哀號理遠人遠人不勝其懷爲文士趙郡李華銘公之德亂不克立今刺史太原王涯嘉公之道猶在乎人人不忘公之道爲之刻石且曰州之南有亭曰需宴亭公之爲也人之思也乃增飾棟宇即而立焉州人大悅咸會隕涕言曰昔公以周召之德微子之仁有土封以爲卿士道爲三公德爲國師年爲元老嘗爲縣縣懷其化至于州州濡其澤凡我子孫罔不戴慕盛德之詞文而不刻更刺史數十莫克興起乃卒歸於王公王公嘗以機密匡天子于禁中承公之道刺於我邦由公之理又能尊公之德起遺文以昭前烈則其入爲卿士三公也孰曰不宜吾懼其去我也遽願書于銘之陰用永表于邦之良政

唐丞相故太保贈太師韓國公苗公墓誌銘 并序

李華

永泰元年四月戊子唐舊相太保韓國公薨天子輟朝羣臣出次五月壬午贈太師七月丙子詔使中謁者莅祭京兆少尹護喪龍旗輔車鹵簿哀導加于一等園塋封樹碑版垂後盛于當朝葬我韓國公夫人名本於宏才非此運不揚元勳出於忠烈奠死之中登諸日月九天之上乾坤閉而復闢鈞軸折而再駕故肅宗皇帝於行在見公曰欲求良弼其在茲乎公諱晉卿字元輔上黨壺關人祖襲夔贈太子太師父殆庶贈禮部尚書公成童好學弱冠工文二登科甲三入高等始自郡邑臺省之任終乎廊廟台輔之器至於牧四郡使四道在人爲政之絶跡於公能事之常格故不足敘天寶之末胡羯亂常公身在陷穽心圖遼廓謁至尊於幕殿議大計於轅門天子壯之拜爲左相公于時與兵部尚書汾陽郡王經略大業翊贊中興公撫於内汾陽營於外克二京復九廟尊先

帝返上皇公之功也乾元二年元凶授首陳希烈等四十八人議在殊死公抗疏上論以四方猶虞罪當寬宥三司質定其事不行於戲慶緒之誅也不用公議使有思明之難朝議之減復行公計果令天下大安仁人之言不可已已上元二年玄宗升遐詔公攝政肅宗違代令公當國道合君臣時契雲龍於二主功高宇宙德鍾社稷於一身夫平計之勃安之總有平勃之勳伊攝之霍立之再當伊霍之任人臣貴極今古罕儔公晚嬰衰疾屢辭樞務遂得特紆聖眷俯降臣禮赤墀之下杖策來朝宣室之中肩輿入見此則明主上德而屈體忠臣感恩而忘形君臣之間斯爲盛矣無何有詔册授太保軍國大務仍咨訪焉公至和爲心太素爲體以虛舟應物世累不能干其神以公器濟時江海不能開其慮故軒裳鍾鼎於我如浮雲大位遐年在生爲逆旅享年七十有七歷任二十有四順如也夫人韓國夫人博陵崔氏詩書之門金玉其度先公而殁今則祔焉嗣子發丕堅粲垂向呂稷望咸等並强學懿文

保家繼代忠足以勵行孝足以揚名敘德立銘願昭先烈掌文之客敢忘大猷其詞曰

有唐宗臣爲國元老清明淳粹全德體道磊落臣節深沈廟謨智能逃難忠則忘軀幽薊弄兵咸秦振蕩舉族南棄拔身北嚮一見先皇其言甚壯指麾籌畫爰立作相天地反正蒼生之望伊昔南狩衣冠下從三司獻議蕑乘將同諫書一出天下稱公二聖登遐萬方是荷聖皇在闇務輟宸坐稱政臨朝非公不可彼蒼不仁殲我鼎臣天歸說夢嶽降申神嵯峨碑版突兀封樹嗚呼相國韓公之墓

唐丞相金紫光祿大夫守太保致仕贈太傅岐國公杜公墓誌銘并序　權德輿

有唐元老太保岐公諱佑字君卿年七十八以得謝之歲歲十一月辛未啟手足紓師安仁里皇帝恤然不視朝三日冊贈太傅弔祠加恩明年夏四月乙酉返眞宅于少陵原大墓公之先自漢建平侯晉當陽侯而下忠賢閒出積厚昌大以至曾王父行敏皇銀青光祿大夫荆益二州大都督府長史南陽郡公王父慤皇中散大夫尚書右司員外郎詳定學士父希望皇銀青光祿大夫鴻臚卿恆州刺史西河郡太守飾終三加至尚書左僕射公總中龢之粹靈蹈明哲之大方體仁以長人厚德以載物器周代資材爲國華程功積事博達弘裕在玄宗朝以門子筮仕解巾有聲在肅宗朝以郡掾廷吏賢侯交辟俄以臺郎御史二千石事代宗以六職之貳十聯之重兵符相印事德宗初自度支郎歲中拜小司徒時當艱急政有均節持權者排陷改蘇饒二州刺史以亞丞相巓征南方入居左轄出典侯服旋委節旄貞師淮海凡居鎮十五年歷禮刑二尚書乃進左揆燮和大政拜章來朝兼理公台綢繆樞極在帝左右順宗諒闇公攝冢宰因山復土專護其任進掌五教乃平九賦永貞內禪公奉典策今上繼明眞授司徒備物采飾褒優章灼推致四時之和茂明萬物之宜初公來朝之明年年及懸車

抗章告老三上不允厥後詔公每旬一朝訪決重務以公年與德耆尊禮不名後再歲天子憫煩公以官職之事恩遂堅請禮優師臣大雅稱方叔元老且非宰政東漢之胡公中庸不理藩服曷若公都將相之重兼文武之全三代論道兩朝總己搢紳瞻仰者凡六十年致位就第極其榮號隆其五福闓然得之在臨川有愷悌之化涖南海有威懷之畧自淮而南興事任力三邦之人類有聲詩炳如嵩華刻在金石公既當安危注意之重一人倚賴急宣密啟多所交感嘉保太平承寧諸侯或洒其煩言或導其善氣損怨服義日用不知至有執介圭朝象魏冠功臣之表近天子之光爲時龜龍公所樞柅喜士容物羣而不黨理遣情恕犯而不校一言定交死生以之趨人之急唯恐不及不徼福不乞靈物怪氣燄不接於心術誠明坦蕩自得於天理中正之外無自入焉國門南出杜陵故地畎清流疏灌叢鵤卑引滿金絲合奏時賢儁人結轍在門極謝安之林墅異陸賈之裝橐鄉羣時會鷗鳥不驚又以見公放懷推仁無不逮也至若閱天下之義理究先王之法志著通典二百篇誕章閎議錯綜古今經代立言之旨備焉凡推轂之士繇幕廷而奮迅者近於百輩將相六職左右曹臺以至列藩二千石不可勝書夫人安定郡梁氏蘇州常熟縣令幼睦之女也專柔淑慎動有儀矩先於公歿幾三十年矣嗣子司農少卿師損與其弟昭應縣令式方駕部員外郎從郁等皆以材能孝謹爲卿大夫元士推擇之際以吏資蔭庥之下咸有淑聲儼然摧剝相視無怙誠信哀敬實加於人以德輿嘗忝府辟晚聯台座每荷同升之義盍陳無愧之辭直書德輝以鏤幽礎銘曰

君子之用可以大受斤斤岐公祗事三后謨明盛時其道甚夷乃將乃相乃公乃師六府龢平五福叢滋齊之溫良商之慈愛推本性術發舒光大宣力中外勤勞翼戴懸車乞身知進知退歲在大梁月生一陽以佚以息忽乎茫茫歔縗納書禮優職襄和氣在上昭明發揚少陵鬱鬱著蔡協吉宰木號風虞泉落日吁嗟岐公居

此玄室

唐金紫光祿大夫檢校司空兼尚書左僕射同中書門下平章事上柱國魏國公贈太傅賈公墓誌銘 幷序

德宗皇帝享國二十有七年注意於將相之臣惟魏國賈公諱耽字敦詩始則四握兵符保釐節制終乃再踐師長燮和樞極文武致用實寔斯人景鍾書伐金鼎和味咸有一德用平太階奉綴衣之詔公始感疾先復土之期公乃捐館屬太上皇重公耆碩進加司空今皇帝憫公徽懿追命太傅春秋七十六佩相印一十三年前史稱賈生通達國體其孫嘉好學世其家其曾孫捐之建議深切漢元帝爲之罷朱崖郡皆其先古之有議論風節者也曾王父遠則皇長河尉生王父知義沁源主簿贈揚州大都督都督生烈考玢之燕居不仕贈尚書左僕射皆代德安貞延耀于後者也公忠正仁恕極深研幾究今古於百氏窮地域於九譯乾元初寰海未靜褐衣危言始尉太平連辟大府三入御史府再爲尚書郎亞尹北都剖符西河嘉猷循行所涖居最大厤十四年冬十月繇大鴻臚貞師于梁協力羣帥平夷江漢青綬大封烜然光明進參六職節制襄峴載會兵車撫征淮右徵詣行宮眞拜冬官明年以三后之任分正洛師加地進律察廉唐鄧復總賦輿鎭于靈昌政成八稔愷悌清靜於是膺審象之寄贊格天之業中外授受勤勞王家易坤之說曰地道也臣道也惟公有博載之量露生庶物書洪範之說曰强弗友剛克燮友柔克惟公推寬信之誠弼亮時化故其撫封也不尙禁厲不施皦察扶導善氣折銷未萌使貪者讓躁者靜四鄰敬之如神明闔境愛之如父母其作相也當先皇帝洪覆陰隲財成造化宗工儁老但以忠厚承清光故公之揚休德煇涵泳無際藹然和平之運恬然易簡之道至若匪躬詭詞勞謙不伐者亦何可勝言坦夷而周密廣大而絜靜聳善虛己求天下之才博聞强識通天下之志斯不可及已所著梁懷王傳碑先君子碑陳祖德以自況載家聲於可久體要闓達邁乎羣倫撰海內華夷圖

及論次地理之書凡五十有五篇貢在中禁傳於域內言方志者以公名家被病更時屛絕醫術且曰吾以忠信爲天理一氣聚散斯焉順之美櫝壽堂自爲終制隤然委化以啟手足雖從古知命之士所難能焉夫人武功蘇氏駕部郎中守中之曾孫處士珣之女有柔儀淑行歿於中年二十有五年矣嗣子疇太常寺協律郎早夭次子璘太子司議郎少子𥈭京兆府參軍事馴行孝謹號咷毀瘠奉二尊裳帷合于九原刻茲樂石以永終古銘曰

麟之儀儀鳳之師師有偉魏公發輝清時外總方國埽除螟螣入居公台左右皇極於學無不通於士無不容穆如龢風叩若華鐘偉材閎議信以發志中行循性其道易易始初清明紀號永貞維陽月之朔日兮返智氣於冥冥下旬逮午兮祖載于庭神歸古原兮閟此音形前直國門兮旁邇梁傳不忘本兮公之素笳簫啟路歸此壤樹嗚呼有唐元老兮魏公之墓

唐丞相故太子少師奇章郡開國公贈太尉牛公墓誌銘并序

杜牧

唐佐四帝十九年宰相牛公諱僧孺字思黯八代祖弘以德行儒學相隋氏封奇章郡公贈文安侯文安後四世諱鳳及仕唐爲中書門下侍郎監修國史於公爲高祖文安後五世集州刺史贈給事中諱休克於公爲曾祖集州生太常博士贈太尉諱紹太尉生華州鄭縣尉贈太保諱幼聞太保生公孤始七歲長安南下杜樊鄉東文安有隋氏賜田數頃書千卷尚存公年十五依以爲學不出一室數年業就名聲入都中故丞相韋公執誼以聰明氣勢急於褒拔如柳宗元劉禹錫輩以文學秀少皆在門下韋公亟命柳劉於樊鄉訪公曰願一得相見公乘驢至門韋公曰是矣東京李元禮爲後進師隋奇章公仁德祿位二者包而有之公登進士上第元和四年應賢良直諫制數强臣不奉法憂天子熾於武功詔下第一授伊闕尉以直被毀周歲凡十府奏取不下伊闕滿歲郄

公士美以昭義軍書記辟凡三上請詔除河南尉拜監察御史丁母夫人憂制終復拜監察御史轉殿中侍御史遷禮部員外郎都官員外郎兼侍御史知雜事改考功員外郎集賢殿學士庫部郎中知制誥賜五品命服半歲遷御史中丞宿州刺史李直臣以贓數萬敗穆宗得偏辭於中稱直臣宛且言有才宰相言格不用公以具獄奏上曰直臣有才可惜公曰彼不才者但求飽食以足妻子安足慮本設法令所以縛束有才者祿山朱泚是才過人而亂天下上因可其奏曰善賜章服金紫遷戶部侍郎掌財賦事上益親重欲相之會中書令韓弘男公武謀曰大人守大梁二十年齊蔡誅後始來朝今不以財援中外設有飛一辭者誰與保白公武齎弘書獻公錢千萬公笑曰此何名爲公亟持去明年弘公武繼卒主藏奴與吏訟於御史府上憐弘大臣父子併死稚孫將家事走中使至第盡取財簿自閱視凡中外主權多納弘貨獨朱句細字曰某年月日送戶部牛侍郎錢千萬不納上大喜以指歷簿偏

視旁側曰果然吾不謬知人言訖殿上皆再拜呼萬歲尋以本官平章事明年正位中書侍郎加銀青三品兼集賢大學士監修國史敬宗卽位與武士畋宴無時徵天下道士言長生事公亟諫曰陛下不讀玄元皇帝五千言以清靜養生彼道士皆庸人徒誇欺虛荒豈足師法未一歲請退不許連四月日聞以疾辭乃以鄂岳六州建節號武昌軍命公爲禮部尚書平章事爲節度使公始至問民疾苦皆曰城土疏惡歲輸簾竹爲苫具奸吏旁緣主爲侵取費與稅等歲久前後政欲書計策訖無所施公卽除去冗長用公私錢陶塼甃城凡五年乃就明年文宗卽位加吏部尚書明年急徵拜兵部尚書平章事重拜中書侍郎弘文館大學士鄭注怨宋丞相申錫造言挾漳王爲大逆狀跡牢密上怒必殺公曰人臣不過宰相今申錫已宰相假使如所謀豈復欲過宰相有他圖乎臣爲中丞愛申錫忠良奏爲御史申錫之心臣敢以死保之上意解由是宋不死大和六年西戎再遣大臣贄寶玉來朝禮倍前時盡

罷東谿守兵用明臣附李太尉德裕時殿劒南西川上言維州降今若使生羌三千人燒十三橋擣戎腹心可洗久恥是韋皐二十年至死恨不能致事下尚書省百官聚議皆如劒南奏公獨曰西戎四面各萬里來責曰何事失信養馬蔚茹川（在平涼郡西）上平涼坂萬騎綴回中怒氣直辭不三日至咸陽橋西南遠數千里雖百維州此時安可用棄誠信有利無害匹夫不忍爲況天子以誠信見責於夷狄且有大患上曰然遂罷維州議大和六年檢校右僕射平章事淮南節度使經六年至開成二年連上章請休官詔益不許公曰臣惟退罷可以行志夏五月以兵付監軍使拜疏訖就道除檢校司空留守東都明年拜左僕射上恐公不起詔曰朕比有疾良已思一面敘公不得已至闕下一拜謝閉門不出明年檢校司空平章事襄州節度使出都門賜黃彝樽龍杓凡六品名出周禮詔曰精金古器用以比況君子非無意也襄州七年饒假軍人入賦不一公至據地造籍免貧弱四千萬均入豪彊皆曰甘心不

出一怨言明年武宗即位就加司徒會昌元年秋七月漢水溢隄入郭自漢陽王張柬之一百五十歲後水爲最大李太尉德裕挾維州事曰修利不至罷爲太子少師未幾檢校司徒兼太子少保明年以檢校官兼太子太傅留守東都劉稹以上黨叛誅死時李太尉專柄五年多逐賢士天下恨怨以公德全畏之言於武宗曰上黨軋左京控山東劉從諫父死擅之十年後來朝加宰相縱去不留之致稹叛竭天下力乃能取此皆公與李宗閔爲宰相時事從諫以大和六年十二月十七日拜闕下公實以其月十九日節度淮南明年正月從諫以宰相東還河南少尹呂述公惡其爲人述與李太尉書言稹破報至公出聲歎恨上見述書復聞前縱從諫去疊二怒不一參校自十月至十二月公凡三貶至循州員外長史天下人爲公挼手咤駡公走萬里瘴海上二年恬泰若一無事今天子即位移衡州汝州長史遷太子少保少師凡四年復位大中二年十月二十七日薨于東都城南別墅年六十九天子惆

傷不朝兩日册贈太尉天下善人執手相弔哭公忠厚仁恕莊重敬愼未嘗不以此八者自勉而終身益篤爲宰相急於銓品凡名清官不忍持一資以假非其人以道德謨於天子每指古義爲據有言機利克迫必釽剟使之摧破三大邦去苛碎條約除大患其輕巧吏欲賊公愛惡希嚮所爲渾然終不能見故所至必大洽衣冠單窮出俸錢嫁其子女月與食歲與衣資送其死喪凡數百家李太尉志必殺公後南謫過汝州公厚供具哀其窮爲解說海上與中州少異以勉安之不出一言及於前事鎭武昌時軍容使仇士良爲監軍使公律以禮敬畧甚大合軍宴拱手至暮一不搖扇益自儉克平居非公事不出内屏周三歲語言舉止率有常度仇軍容開成末首議立武宗權力震天下每言至公必合手加額曰清德可服人但過恡官財與人無一毫恩分耳不肯引譽不敢怨毀澹居其中公始自河南薦鄉貢士爲郎官考吏部科目選三開幕府中丞宰相外凡取六十餘人上至將相次布臺閣皆當時名

士每暇日譏語寮吏必言古人脩身行事旁誘曲指微警教之不以己所長人所不及裁量高下以生重輕後進歸之承望聲光得一言許可必自矜重夫人辛氏以公封張掖郡贈僕射祕之長女士林稱爲婦師凡三十年前公八年沒五男六女長曰蔚監察御史次曰叢淅南府協律郎皆以文行登進士第不藉公勢次曰奉蒨河南府洛陽尉二人皆稚齒長女嫁戸部郎中上黨苗愔次女嫁河中節度副使檢校郎中范陽張洙次女嫁河南府戸曹集賢校理常山張希復次女嫁前進士鄧淑次女未笄一人始數歲以某年月日葬少陵南某鄉某里銘曰

道旣譌衰必有以扶厥公之生以隆其洿幽以燭明暵以雨濡以教其徒以佐天子滅絕霸駮如有樞柅標楬峙倚巍乎二紀臣宗德老鉅傑魁礨孰爲忌畏譖去南海不校不辨羣復顯大百行渾圓鄰於及年以歸其全

唐幽州盧龍軍節度副大使知節度事管內支度營田

觀察處置押奚契丹兩番經略盧龍軍等使開府儀同三司檢校司徒兼中書令幽州大都督府長史上柱國彭城郡王贈太師劉公墓誌銘 并序

權德輿

析木之下幽陵碣石融結絪縕誕靈熊渾乃生元臣以翼大君惟彭城郡王宣力三代撫封四紀在德宗朝纂服舊勞以亞丞相得顓征伐冬官夏卿再踐六職乃列台宰乃居師長在順宗朝論道進律就加司空又拜司徒今皇帝聰明齊聖褒厚功德擢侍中中書令綢繆樞衡臨長諸侯玄衮赤舄崇其物采九命二伯極其名器勳猷備其贊書終始焯於代家五年秋七月寢疾薨于莫州之廨舍享年五十四冬十月歸全涿州良鄉縣之某原追錫太師不視朝三日命諫議大夫弔祠法賻廷尉卿持節禮冊又詔宰臣德輿銘于壽堂所以加恩報勞始終滲漏之澤也公姓劉氏諱濟字濟之蜀昭烈皇帝二十一代孫曾祖弘遠皇檢校司衛卿臨洮軍

使襲彭城郡公贈宋州刺史祖貢皇特進左金吾衛大將軍贈揚州大都督父怦皇幽州盧龍節度觀察等使御史大夫贈司徒恭公公承是覆露生而岐嶷深而通直而和弘毅忠肅端明溫重固已蘊絕人之姿挺希代之器始以門子橫經游京師有司擢上第參幽州軍事轉兵曹掾歷范陽令考績皆爲府中最興元初以太子家令爲莫州刺史以御史中丞爲行軍司馬凡吏理之慰薦輿師之拊循如良庖之無肯綮翳良農之無滅裂司徒即代有詔奪情節哀順變講信修睦先公之封畛盡在長帥之威惠畢舉比歲大旱蝝蝗爲災絜齋蔬菲默以心禱甘雨祁祁嘉生莓莓因其豐登示以班制古諸侯之令典靡不具焉貞元初烏桓誘北方之戎幸吾阻飢大聳邊鄙公先計後戰陳兵于郊乃遣單車使者誘掖教告繇是諸戎皆爲公用餘不庭方厥猷茂焉明年鮮卑墨乙之犯古漁陽其後啜刺寇右北平公分命左右軍異道並出然後以中堅衝擊士不離傷師不留行深入其阻抵青都山下捕斬首虜

以萬級獲橐駞馬牛羊無萬數十九年林胡率諸部雜種侵淫于澶薊之北公親統革車會九國室韋之師以討焉飲馬灤河之上揚旌冷陘之北戎王棄其國遁去公署南部落刺史爲王而還登山斲石著北伐銘以見志自太行已東懷和四鄰或歸其天倫或復其地理警急則解其顛沒居常則納諸矩度兵興已來氣俗相因或以夸敗度或以美沒禮比屋之人被縵胡而揮孟勞不知書術公乃修先師祠堂選幼壯孝悌之倫春秋二仲行釋菜鄉飲酒之禮生徒俎豆若在洙泗和門耽耽公署沈沈自從事掾史迨紀綱之僕庠序有倫采章不紊接士必下以詞氣推賢而容其出處隴西李益樂安任公叔皆以賓筵薦延至郎吏二千石鴈臣良守此又烈丈夫大君子曠度舉舉之爲也其於勤身裕物生聚教訓祁寒則頒之絮帛大歉則振其倉廩一方之人蒙被惠和嘉祥交於動植孝順浹於州壤美化周行無不及焉去年冬王師問罪於常山公率先蹈厲累上功捷引義慷慨賦詩以獻詔宰司序引百

執事屬和以美大之師次瀛州旣圍樂壽又遣支兵急攻安平三旬未下武怒益奮命其子總以騎士八千先登公親鼓之士皆殊死戰亭午而拔誅屠無噍類蓋所以宣威制勝於可必也天子賜以寶劒金甲彤弓盧矢方董諸侯之師將覆其巢俄感厲氣隱几口占署總軍司馬曰無以吾故而稽天誅悉召戲下以須王命俄而下霈然之詔宥罪班師加公寵渥已至大病遺章悃款不及家事天下之人偉其忠勞總以君命起於倚廬之中委重戎事由御史大夫爲工部尙書凡軍師之節制封部之廉察盡如某公太師之命焉茹荼雪泣祇服丕矩以國僑之遺愛知公業之不亡生極榮號沒有懸册揚名以繼志善訓以克家君臣父子之道斯爲至矣襃大臣所以尊王命懿武事所以恢天聲敢攄馨香以識寘實

銘曰

帝在法宮推心懋功洸洸彭城秉義納忠幽都朔易賜履來宅便蕃渥命焜燿嘉績北戎病燕從古以然懷徠蕩定勇略昭宣變和

之重公作霖雨師律之嚴公爲齊斧廓開祲沴振奮威武保大定
功庇人尊主剟穀敦悅乃主成師善經義府公實似之北伐刻銘
西征賦詩播於工歌烈在鼎彝壯猷未極大暮如斯華首童牙辛
酸涕洟義方紹續君命吉祿孝在無改恩延必復參差軺葆澶漫
陵谷勒石下泉幽玄昭燭

唐故武昌軍節度觀察處置等使正議大夫檢校戶部
尚書鄂州刺史兼御史大夫賜紫金魚袋贈尚書右
僕射河南元公墓誌銘并序　白居易

公諱稹字微之河南人六代祖巖隋兵部尚書封平昌公五代祖
弘隋北平太守高祖義端魏州刺史曾祖延景岐州參軍祖悱南
頓縣丞贈兵部員外郎考諱寬比部郎中舒王府長史贈尚書右
僕射妣滎陽鄭氏追封陳留郡太夫人公卽僕射府君之第四子
後魏昭成皇帝十五代孫也公受天地粹靈生而岐然孩而嶷然
九歲能屬文十五明經及第二十四試判入四等署祕書省校書

郎二十八應制策入三等拜左拾遺卽日獻教本書數月間上封
事六七憲宗召對言及時政執政者疑忌出公爲河南尉丁陳留
太夫人憂哀毀過禮杖而能起服除之明日授監察御史使于蜀
按任敬仲獄得情又劾奏東川帥違詔條過籍稅又奏平塗山甫
等八十八家冤事名動三川三川人慕之其後多以公姓字名其
子朝廷病東諸侯不奉法東御史府不治事命公分臺而董之時
有河南尉離局從軍職尹不能止監察御史死其柩乘傳入郵郵
吏不敢詰內園司械繫人踰年臺府不得知飛龍使匿趙氏亡命
奴爲養子主不敢言浙右帥封杖決安吉令至死子不敢愬凡此
數十事或奏或劾或移歲餘皆舉正之內外權寵臣無柰何咸不
快意會河南尹有不如法事公引故事奏而攝之甚急先是不快
者乘其便相喋嗷坐公專達作威黜爲江陵士曹掾居四年徙通
州司馬又四年移虢州長史長慶初穆宗嗣位舊聞公名以膳部
員外郎徵用旣至轉祠部郎中賜緋魚袋知制誥制誥王言也近

代相沿多失於巧俗自公下筆一變至於雅三變至於典謨時謂得人上嘉之數召與語知其有輔弼才擢授中書舍人賜紫金魚袋翰林學士承旨尋拜工部侍郎旋守本官同中書門下平章事公既得位方將行己志答君知無何有憸人以飛語搆同位詔下校驗無狀上知其誣全大體與同位兩罷之出爲同州刺史始至急吏緩民省事節用歲收羡財千萬以補亡戶逋租其餘因弊制事贍上利下者甚多二年改御史大夫浙東觀察使將去同之耆幼鰥獨泣戀如別慈父母遮道不可通送詔使導呵麾鞭有見血者路闢而後得行先是明州歲進海物其淡蚶非禮之味尤速壞課其程日馳數百里公至越未下車輒奏罷自越抵京師郵夫獲息肩者萬計道路歌舞之明年辨沃瘠察貧富均勞逸以定稅籍越人便之無流庸無逋賦又明年命吏課七郡人冬築陂塘春貯雨水夏溉旱苗農人賴之無凶年無餓殍在越八載政成課高上知之就加禮部尚書降璽書慰諭以示旌寵又以尚書左丞徵

還旋改戶部尚書鄂岳節度使在鄂三載其政如越大和五年七月二十二日遇暴疾一日薨于位春秋五十三上聞之軫悼不視朝贈尚書右僕射加賻贈焉前夫人京兆韋氏懿淑有聞無祿早世生一女曰保子適校書郎韋絢今夫人河東裴氏賢明知禮有輔佐君子之勞封河東郡君生三女曰小迎未笄道衛道扶齠齔一子曰道護三歲仲兄司農少卿積姪御史臺主簿某等銜哀襄事裴夫人韋氏長女洎諸孤幼等號護靈轝以六年七月十二日祔葬於咸陽縣奉賢鄉洪瀆原從先宅兆也公著文一百卷題爲元氏長慶集又集古今刑政之書三百卷名類集並行於代公凡爲文無不臻極尤工詩在翰林時穆宗前後索詩數百篇命左右諷詠宮中呼爲元才子自六宮兩都八方至南蠻東夷國皆寫傳之每一章一句出無脛而走疾於珠玉又觀其述作編纂之旨豈止於文章刀筆哉實有心在於安人治國致君堯舜致身伊皋耳抑天不與邪將人不幸邪予嘗悲公始以直躬律人勤而行之則

坎壈而不偶謫瘴鄉凡十年髮班白而來歸次以權道濟世變而通之又齟齬而不安居相位僅三月席不暖而能去通介進退卒不獲心是以法理之用止於舉一職不布於庶官仁義之澤止於惠一方不周於四海故公之心不足也逢時與不逢時得位與不得位同富貴與浮雲同何者時行而道未行身遇而心不遇也執友居易獨知其心以泣濡翰直書銘于墓曰

嗚呼微之年過知命不謂之夭位兼將相不謂之少然未康吾民未盡吾道在公之心則爲不了嗟乎惜哉道廣而俗隘時矣夫心長而運短命矣夫嗚呼微之已矣夫

文粹卷弟六十八